YOGA
Sin esfuerzo

Editorial Debate

YOGA
Sin esfuerzo

Rosalind Widdowson

Agradecimientos

El autor y los editores quieren hacer constar su
agradecimiento a las siguientes personas, que
contribuyeron a hacer posible este libro: Susan y
Elizabeth Allen, Iris Baggot, Lisa Beaman, el señor
y la señora G. Clancey, Mary Davies, Bridgette
Downing, Sue Delahay, Pam Griffith, Shawn
Hawkins, Dexter Hunt, Jean Oddy, Helena Oliver,
Ka Price, Myli y Zoë Philips, Harry Siviter, Jean
Smith, Joanne Talbot, Tony Taylor, Linda
Walker, Helen Tate, Tibort, Sarah Wakefield,
Eileen Westly, Mark Widdowson, Briar Wilkinson,
a la Halgey Sports and Leisure Limited de Hagley
(Worcestershire) y a la Nigel Snowdon Associates
de Bromley (Kent), que realizó las fotografías.

Primera edición: Mayo 1983

Traducción de Mauro Hernández Benítez
Diagramación y maquetación para la versión en castellano de José Crespo

Título original: *Yoga Made Easy*

Indice

Introducción

Me inicié en el yoga a los cuatro años. Desde entonces el ejercicio ha formado parte de mi vida.

La técnica parece a menudo difícil, desagradable, y quizá hasta algo humillante. Pero son muchos los que podrían dar fe del modo en que el yoga ha obrado un cambio real y profundo en su actitud personal. El yoga representa un camino muy directo para enfrentarse a las dificultades personales y los sentimientos y hábitos indeseables. Con el tiempo puede hacer la vida menos ardua, y que la gente que uno conoce todos los días parezca más agradable. Por supuesto, el verdadero cambio está en usted mismo, ya que comienza a encontrar la paz interior y a reflejar, a su vez, como un espejo, tranquilidad hacia el exterior. Ayudándose a sí mismo puede ayudar a sus semejantes.

Practique con paciencia y perseverancia en vez de esperar resultados espectaculares de inmediato. Todos somos, de hecho, nuestros más duros críticos y maestros. Sea benévolo consigo mismo. Haga las cosas paso a paso. No se fije continuamente en el objetivo; piense en los medios merced a los cuales puede alcanzarlo. Gradualmente, hasta las ataduras de sus peores hábitos irán cediendo.

El yoga no es una religión. Es una filosofía de la vida y, como tal, puede reforzar sus creencias religiosas o quizá persuadirle de que permita el acceso a su alma, ya despierta, de su propio dios particular.

No pretendo ser un filósofo «cualificado». Opino que la filosofía no es una ciencia intelectual, sino el propio hecho de vivir la vida en toda su intensidad. He aquí algunas de las sencillas creencias que el yoga me ha enseñado:

Equilibrio. Todo el mundo tiene un lado mejor que otro. No hay más que pensar en la estrella de cine que insiste de continuo en ser fotografiada del lado «bueno». El yoga le ayuda a perfeccionar un control armónico de sus lados derecho e izquierdo mediante una búsqueda interna para localizar y combatir las debilidades del cuerpo, la mente y el espíritu. Consiguiendo su propia unidad se sentirá usted más unido a sus semejantes.

Disciplina. Todo impulso creativo y toda pureza deben brotar de dentro. Fíjese un propósito. Véalo con claridad y esfuércese por conseguirlo. Tiene usted una fortaleza interna natural. Trate de recordar esto en los buenos y malos momentos, domando esta energía interna.

Libertad. Disfrute con todo lo que haga. Así contribuye a liberarse del apocamiento.

Inteligencia. El pensamiento por sí solo no resuelve necesariamente los problemas, pero sí pueden conseguirlo la observación y la actuación sin dilaciones innecesarias sobre los instintos o intuiciones naturales.

Amor. La experiencia personal del sufrimiento puede proporcionarle fortaleza interior y un mayor amor y compasión hacia los demás.

Actitud positiva. Intente anular todo pensamiento o acción negativos con un enfoque positivo de la vida. Viva el presente, considerando los problemas como posibles oportunidades y actuando sobre ellos.

A lo largo de muchos años de verdadero disfrute del yoga he conocido a un montón de gente interesante y estimulante, todos tan entusiasmados como yo con las nuevas posibilidades que la práctica del yoga parece liberar. Mi propio talento artístico podría haber permanecido aletargado de no haber tenido la suerte de estudiar esta fascinante disciplina. Mi único deseo es que este libro pueda ayudarle a usted de forma semejante.

Ros Widdowson.

Centros Widdowson de Yoga, Salud y Belleza, Rock, Worcestershire, Inglaterra.

Antes de empezar

Cuidado con la salud

Si tiene cualquier problema serio de salud, consulte con su médico si le conviene o no hacer ejercicio normalmente. En cualquier caso, esta precaución es conveniente si es usted mayor de treinta y cinco años y se ha educado en la pereza respecto al ejercicio físico. Muchos médicos son conscientes hoy día de la utilidad del yoga y lo recomiendan frecuentemente a quienes sufren los efectos del *stress* y la tensión, o a convalecientes de roturas o lesiones serias de miembros.

Hay algunos estados de salud, pasajeros o permanentes, que hacen conveniente el evitar *algunos* ejercicios. Examine la siguiente lista y vuelva a consultarla de cuando en cuando.

Miembros lesionados. Si sufre usted de deformaciones o lesiones en cualquiera de los miembros no intente jamás forzar una postura. El cuerpo se moverá cuando esté en condiciones.

Tensión alta/Situación cardíaca/Debilidad de los capilares oculares/Desprendimiento de retina. No practique los ejercicios invertidos (cabeza abajo).

Problemas de oído. No se preocupe si no consigue guardar el equilibrio tan bien como desearía. Inténtelo usando una silla o apoyándose en una pared hasta que adquiera seguridad. Tenga cuidado al practicar los movimientos hacia atrás: puede que necesite una pequeña ayuda.

Venas varicosas. Evite permanecer en posturas de piernas cruzadas, o sentado sobre los pies, ya que estas posiciones dificultan el flujo de la sangre por las venas. Incluya en su programa diario movimientos de estiramiento y relajación de las piernas.

Hernias. Hay que evitar todos los movimientos en los que haya que doblar la espalda, o a lo sumo reducir la flexión al mínimo.

Menstruación. Si tiene usted una regla mala evite las posturas cabeza abajo, como el pino o el clavo. También hay que evitar los ejercicios de respiración con elevación o contracción del estómago. El arado y el clavo contribuirán, si se practican con regularidad, a aliviar las reglas dolorosas.

Embarazo. Se pueden practicar la relajación y la meditación a lo largo de todo el embarazo. Aparte, evidentemente, de evitar los movimientos de inversión mencionados para la menstruación no conviene tampoco mantener durante demasiado tiempo los movimientos con los brazos en alto.

Sólo una advertencia más antes de abandonar el tema de las precauciones respecto a la salud, y es la que se refiere a los **mareos.** Como en cualquier otro ejercicio, si experimenta usted algún malestar o mareo deténgase, túmbese y relájese unos minutos antes de seguir. Es muy común experimentar una ligera sensación de ahogo mientras se está aprendiendo a hacer el arado o el clavo. Ello se debe al aumento del flujo sanguíneo debido a una posición invertida del cuerpo y a una débil presión que se ejerce sobre la garganta y la región tiroidea. Intente relajar la garganta tragando saliva y, si fuera necesario, respirando por la boca a su propio ritmo natural. Si persiste tal sensación de ahogo debe usted conseguir que alguien le ayude a mejorar su técnica, o abandonar el ejercicio, dado que es posible que éste no sea el adecuado para su forma física.

Prepárese para el yoga

Escoja para practicar, si le es posible, una habitación tranquila y bien aireada. Lo ideal sería que fuera un sitio en el que tenga la seguridad de no ser molestado y que pueda utilizar para todas las sesiones.

No practique con el estómago lleno. Antes de empezar deje pasar de tres a cuatro horas por lo menos después de la comida. Así evitará calambres y molestias innecesarios. Asimismo, intente no comer inmediatamente después de una sesión de práctica; un lapso de media hora supone una diferencia importante para su bienestar general.

Póngase ropas amplias. Lo importante es evitar cualquier prenda ceñida, como correas o cinturillas. La mayoría de la gente usa ahora mallas de una pieza o un chandal. El ir descalzo es fundamental para mejorar la circulación de la sangre en los pies y mantener el equilibrio en los movimientos de balanceo.

Progresos, o ¿cuándo podré hacer el loto?

Comience dedicando varias semanas a la sección de relajación y respiración que sigue a estas páginas (véase pág. 15). Inicie poco a poco y sin forzarse los sencillos ejercicios de estiramiento descritos en esa sección. Aunque no aventure a más, ya tendrá usted un programa de ejercicios que le supondrá una notable ayuda para, de acuerdo con sus deseos, conseguir eliminar la tensión.

Más adelante haga uso de la sección dedicada a los problemas concretos (págs. 19-67). Allí encontrará planes de ejercicio diseñados para servir a gente de las más diversas condiciones, edades y necesidades.

Todavía más adelante puede que la sección yogarritmo (págs. 69-73) le resulte gratificante. Merced a mi aprendizaje de la danza clásica he podido dotar de coreografía a todos los ejercicios de yoga que conozco, agrupándolos en series sencillas para que sean más fáciles de recordar. Poniéndoles un acompañamiento musical, estas series pueden convertirse en una forma divertida y moderna de practicar el antiguo arte yóguico.

Sea cual sea el uso que usted decida hacer de este libro, debe recordar que aunque los ejercicios puedan parecer estáticos son, de hecho, dinámicos. Debe usted implicar totalmente la mente, el cuerpo y el espíritu en dar el máximo de sí sin forzarse innecesariamente, encarando cada movimiento a través de sus fases de preparación antes de ensayar la postura dinámica final.

Con el tiempo deberá usted intentar encontrar su propia postura dinámica, la que mejor se adapte tanto a su carácter como a su modo de vida en general. Una vez hallada esta postura debería practicarla a diario, manteniéndola en perfecta quietud para sosegar una mente galopante y reponer fuerzas.

Practique con paciencia y perseverancia, y recuerde que los progresos varían en función de las aptitudes generales de cada uno, su edad o sus incapacidades específicas. No hay necesidad de comparar sus avances con los de los demás. Lo importante es recordar que el objetivo es la *calidad* del movimiento. Simplemente, hágalo lo mejor posible; *disfrute* con los ejercicios. No importa si durante semanas, o meses, no puede usted pasar sin forzarse de la segunda parte de un ejercicio de ocho. Olvide las seis restantes y concéntrese en hacer las dos primeras realmente bien. Pronto se dará cuenta de que el tercer paso no era tan difícil al fin y al cabo, y luego el cuarto...

Respiración y relajación

Los peligros del stress

Muchos médicos importantes están convencidos en la actualidad de que dolencias tales como enfermedades mentales, cáncer, esclerosis múltiple, artritis, úlceras pépticas, tensión sanguínea, afecciones cardiacas y envejecimiento prematuro están causadas por una incapacidad para hacer frente al *stress*.

Comprender el *stress* y enfrentarse con él supone un paso importante para comprender la mala salud y enfrentarse con ella.

La clave para conseguir belleza y salud duraderas está en usar el *stress* en beneficio propio. Todos necesitamos el *stress* para vivir. Sin retos físicos y mentales nuestro cuerpo se vuelve endeble y perdemos la emoción de una vida llevada con entusiasmo.

El secreto para controlar el *stress* está en crear un modo equilibrado de vida. ¿Cómo se hace? Cumpliendo un programa de moderación en la bebida, suficiente descanso, dieta equilibrada, ejercicio diario y relajación apropiada. Más tarde hablaré de los ejercicios y la dieta del yoga, pero ahora quiero empezar con el más vital de todos los temas: la relajación y la respiración.

¿Cómo se relaja uno?

Todos necesitamos relajar el cuerpo y la mente al menos una vez al día: la atareada ama de cada, el ejecutivo de empresa, el trabajador manual, el inválido, viejos y jóvenes por igual. Intente reservar algunos minutos todos los días, hacia la misma hora. Un breve rato de relajación total de la rutina cotidiana le permitirá reponer fuerzas para disfrutar del resto de la jornada.

La mayor parte de nosotros ha olvidado el arte de la relajación. De pequeños lo conocíamos por instinto y lo fuimos olvidando a medida que las presiones y el ritmo de la vida actual fueron obrando su efecto. Son muchos los que confunden relax con ocio. «Oh, sí —afirman—. Hemos pasado unas vacaciones realmente relajantes.» Y desgranan una lista de actividades: visitas turísticas, compras, amistades. Es evidente que han planeado su ocio tan rigurosamente como si se tratara de un trabajo.

Lo que yo entiendo por relajación es una liberación profunda de todas las tensiones de la vida mediante la concentración *en* uno mismo. Nos pasamos gran parte de la vida siendo lo que los demás quieren que seamos, haciendo lo que se espera que hagamos. Así es fácil perder el sentido de nuestra propia identidad, peculiar e independiente. Sólo alcanzando en paz la unidad de nuestros elementos internos podremos hallar la verdadera armonía. Aprender a relajarse es un importante jalón, en tal camino. He aquí mi propia fórmula para la relajación.

Túmbese en el suelo, estirado, con las piernas abiertas unos 30-60 cm., los brazos separados del cuerpo y las manos dejadas a su aire. Cierre suavemente los ojos. Está usted en la postura conocida como *postura de reposo* (o postura de muerto). Respire a su ritmo natural y déjese llevar por la relajación, liberando sus miembros de las tensiones físicas mientras piensa:

Mis pies se relajan hacia afuera.
Mis tobillos están relajados.
Mis rodillas están verdaderamente relajadas.
Mis muslos están perfectamente relajados.

Mis caderas se relajan.
Mi estómago está relajado.
Mis costillas y mi pecho se ensanchan en libertad y se relajan.
Mis hombros se relajan hacia abajo y hacia afuera.
Mis brazos se relajan hasta las puntas de mis dedos, que están ligeramente curvados a su aire.
Siento mi cuero cabelludo relajarse, dejando escapar las tensiones del día a través de cada uno de mis cabellos.
Mi rostro está perfectamente relajado.
Mis ojos se hunden, se hunden en las profundidades de la relajación.
Los frunces debidos a las preocupaciones se desvanecen.
Mis labios se separan suavemente.
Mis quijadas están sueltas, permitiendo que la respiración se deslice de forma natural hasta las más recónditas partes de mi cuerpo.
Relajado verdaderamente de cuerpo y mente, descanso.

Realice esta rutina tranquilamente, con paciencia, y a la semana de practicarla a diario empezará a notar sus efectos.

Conozco mucha gente que considera difícil relajarse a voluntad, o incluso comprender el significado de la relajación. Pienso que la mejor descripción es la de que da la impresión de que el cuerpo se ha extendido y alargado hasta sentirse liviano y libre. Para quien le resulte difícil le sugiero la técnica de estirarse y dejarse llevar. Estire los pies y deje que la tensión se aleje. Siéntala rezumar. Repítalo con las rodillas, y así sucesivamente. Recuerde la sensación a medida que la tensión abandona sus miembros. Eso es lo que pretende usted al relajarse.

Aprenda a respirar a la manera yóguica

Tan pronto como haya usted empezado a relajarse de las tensiones de la vida cotidiana, adquirirá una mayor conciencia de sus ritmos respiratorios. Probablemente usted respira la mayoría de las veces de forma rápida y superficial. Dese cuenta de cómo, cuando está tumbado en la postura de reposo practicando la relajación, su forma de respirar parece perder velocidad y hacerse más profunda. Recuerde alguna ocasión en que estuviera usted preocupado o enfadado. ¿No se vuelve su respiración rápida e irregular?

Es evidente que los ritmos respiratorios están ligados a su estado de ánimo. Cuando uno está tranquilo, respira regularmente; si se está inquieto, la respiración se descontrola. Si todavía necesita más pruebas, recuerde el consejo tradicional de respirar profundamente tres veces antes de encarar cualquier tarea difícil. O respire verdaderamente rápido un minuto y verá lo mal que se encuentra.

Si es así de fácil controlar sus emociones, tendrá mucho que ganar aprendiendo a respirar de forma rítmica. Es otro jalón del camino hacia la armonía interna.

Por lo general solemos abandonar la respiración al control accidental de los reflejos corporales automáticos y del subconsciente. La respiración yóguica pretende colocar a la totalidad del sistema respiratorio bajo el control de la conciencia. Y lo hacemos despertando la conciencia hacia los mecanismos corporales implicados en la respiración y modificando de forma deliberada el ritmo y el vigor de ésta.

La respiración completa

El más sencillo de los ejercicios respiratorios del yoga es la **respiración completa.** No hay que confundir respiración completa con respiración profunda. La respiración completa implica la expulsión de todo el aire usado de los pulmones antes de llenarlos de aire fresco, así como el poner la totalidad del torso en condiciones de participar en la respiración.

Muchos de nosotros sufrimos una especie de «torso petrificado» e intentamos respirar sin mover las costillas o el abdomen de forma adecuada. Observe los dos diagramas que muestran lo que ocurre cuando se realiza la respiración completa. El diafragma, la lámina muscular que separa el pecho del abdomen, es el agente de control.

El diafragma se contrae, descendiendo, y toda la caja torácica se hincha, hacia fuera y hacia arriba, a medida que el aire se precipita colmando las partes superior, media e inferior de los pulmones.

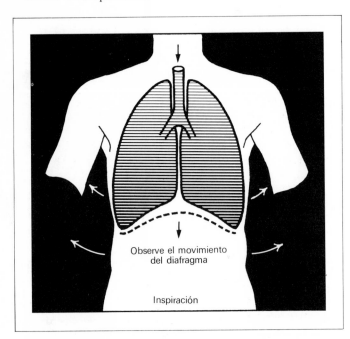

El diafragma se relaja, ascendiendo, y el anhídrido carbónico es expulsado de los pulmones a medida que se contrae la caja torácica.

Lo mejor para empezar a practicar la respiración completa es tumbarse en el suelo, con las rodillas dobladas. De este modo usted puede darse cuenta realmente de lo que les ocurre a sus costillas y diafragma al respirar. Posteriormente, una vez que haya asimilado la técnica, también puede practicar sentado o de pie, y podrá realizar algunas respiraciones en cualquier momento y prácticamente en cualquier parte, cuando le convenga.

Todos los ejercicios respiratorios del yoga son de gran importancia. Practíquelos durante un breve rato, pero de forma regular, todos los días si le es posible. Es la práctica regular la que contribuye a obrar cambios en su interior. La regla para saber en qué momento debe parar es sencilla. Cuando empiece a sentirse cansado no se esfuerce más, habrá llegado el momento de dejarlo.

Empezaré por tres ejercicios preliminares que le ayudarán a *localizar* la respiración: en la parte superior del pecho, la caja torácica y el abdomen. Cuando haya adquirido seguridad en la práctica de éstos trate de hacer la respiración completa.

A propósito, salvo indicación en contrario, todos los ejercicios respiratorios de este libro han de hacerse respirando por la nariz. Así que no es mala idea sonarse cuidadosamente antes de empezar.

Parte superior del pecho. Coloque allí las manos, las puntas de los dedos en contacto. *Espire*, vaciando completamente los pulmones. *Inspire* lentamente, separando las puntas de los dedos, hasta que el pecho no pueda henchirse más. *Espire* de una sola vez, contrayendo el pecho, hasta que las puntas de los dedos se toquen de nuevo.

Caja torácica. Coloque las manos en la parte inferior de la caja torácica con las puntas de los dedos tocándose, y *espire*

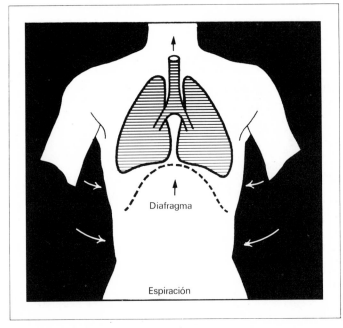

hasta vaciar los pulmones. *Inspire* lentamente, sacando las costillas y separando las manos. *Espire*, relajando lentamente los músculos intercostales.

Abdomen. Coloque las manos sobre el estómago y *espire* hasta vaciar los pulmones. *Inspire* despacio, contrayendo el diafragma. Aunque no pueda sentir el diafragma directamente, usted percibirá la presión sobre los músculos situados sobre el estómago, que son desplazados por el descenso del diafragma. *Espire* de forma fluida, sintiendo los músculos relajarse a medida que el diafragma cede hacia arriba.

Respiración completa: tumbado. Empiece con las manos descansando sobre el estómago y *espire* hasta vaciar los pulmones. *Inspire* despacio, deslizando las manos hacia arriba mientras baja el diafragma (ejerciendo presión sobre los músculos) y se ensancha la caja torácica, tanto hacia arriba como hacia fuera, a medida que los pulmones se llenan de aire. *Espire*, relajando el diafragma y deslizando las manos de vuelta al estómago a medida que expulsa el anhídrido carbónico. Repita todo el movimiento, ahora con los brazos posados a los lados.

Ahora, con los brazos a los lados, intente hacer la respiración completa a su propio **ritmo natural.** Esto quiere decir que debe observar su respiración refleja y respirar sólo cuando se lo pida el cuerpo. *Espire* y no trate de *inspirar* hasta que no sienta necesidad de ello. Entonces *inspire* muy profundamente. *Espire* otra vez sólo cuando el cuerpo lo pida. Se dará cuenta de que su cuerpo se queda parado durante más tiempo cuando tiene los pulmones vacíos que cuando están llenos. No haga intento alguno de adaptar su respiración a ningún modelo concreto. Concéntrese en cerciorarse de que todo el aire sale de los pulmones, y así se rellenarán de forma totalmente automática.

Esta es la respiración natural y es el modelo de respiración que debe usted utilizar cuando esté manteniendo cualquiera de las posturas yóguicas finales, salvo aviso en contrario. La regla fundamental para asociar la respiración a la postura es:

> *espire* mientras se esté doblando
> *respiración natural* al mantener una postura
> *inspire* al enderezarse

Algunas formas concretas del yoga requieren modelos de respiración regulados de forma más precisa, pero esta regla básica es válida para casi todas las posturas.

El siguiente paso para el control de la respiración consiste en contarla. Empiece por un modelo regular, contando de una a cinco veces (cada vez equivale a un segundo), incrementando gradualmente la cantidad según su propio ritmo. Repita dos o tres veces la máxima cuenta que haya alcanzado. La duración de este ejercicio variará según las personas, pero podría intentar limitarlo a un mismo lapso de tiempo disminuyendo el número de veces que repite el ejercicio a medida que alarga la cuenta. Una vez aprendida la técnica básica, trate de practicar con los ojos cerrados, concentrando la atención en el flujo de entrada y salida del aire. Mientras llena de aire los pulmones piense que el aliento es una corriente de vida que fluye sin trabas hacia su cuerpo. Mientras espira, piense en todas las impurezas y tensiones que se desvanecen.

El yoga le ofrece un amplio espectro de técnicas y modelos de respiración distintos. Encontrará algunos en otras partes de este libro, entre ellos la respiración nasal alterna, con sus vitales propiedades calmantes. Ciertos ejercicios exigen que usted contenga la respiración, tanto con los pulmones llenos como vacíos. No trate de hacerlos hasta que no haya adquirido verdadera seguridad con la respiración completa. Como siempre, lo importante es la *calidad* de la respiración, no el ritmo de los avances.

La respiración completa puede reportarle por sí sola muchas ventajas: aumenta la vitalidad, pone a punto el sistema nervioso, purifica la sangre, favorece la digestión y fortalece todo el pecho.

Cuándo practicar

El mejor momento para practicar los ejercicios respiratorios es nada más levantarse, antes de desayunar, o si no antes de irse a la cama. Lo ideal es que hayan pasado tres o cuatro horas desde la última comida, y media hora desde la última vez que bebió. Todas las demás indicaciones preparatorias para el yoga, referidas en la página 13, sirven también aquí.

Recordatorio de la respiración yóguica

La meta es practicar de forma breve, pero regular.
Momento ideal: al levantarse y al irse a la cama.
Regla normal: *espirar* al doblarse, *respiración natural* al mantenerse, *inspirar* al enderezarse.
Mantenga los ojos cerrados para centrar la concentración.
Incremente la cuenta de la respiración de forma muy gradual.
Relájese en la postura de reposo.

Estiramiento y relajación

Ahora que ya ha meditado sobre la relajación y la respiración, y se ha familiarizado con dos técnicas absolutamente básicas e importantes, va siendo hora de que ponga ese cuerpo a trabajar.

Lo que sigue es simplemente una serie de sencillos estiramientos. Se trata de unos movimientos básicos, principios fundamentales si lo prefiere, que constituyen la base de muchos de los ejercicios de yoga que aprenderá más adelante. Si puede usted dedicarse a ellos varias semanas, simultaneándolos con las técnicas de respiración y relajación, llegará a los planes de ejercicio que vienen luego en mejor estado y con mejor aspecto. Y se hallará usted en ese estado en el que puede darse un verdadero crecimiento personal.

Estiramiento: 1 Túmbese boca abajo, con los brazos rectos y separados del cuerpo, las palmas hacia abajo, las piernas separadas a placer y la frente contra el suelo. *Inspire* 1-5, contrayendo el torso, arqueando la espalda y elevando las piernas y los brazos estirados. Manténgase lo más estirado posible, contando 1-5 veces. *Espire* 1-5, dejando caer torso, piernas y brazos, la cabeza ladeada, los codos ligeramente doblados.

2 Ruede hasta ponerse boca arriba, los brazos aún en alto, las palmas hacia arriba, las piernas separadas. *Inspire* 1-5, elevando el torso contraído, apoyándose sobre hombros y talones, los pies arqueados y los brazos estirados. Manténgalo 1-5. *Espire* 1-5, dejándose caer al suelo.

3 Pegue los brazos al cuerpo y, manteniéndose boca arriba, doble las rodillas. *Inspire* 1-5, levantando y enderezando las piernas. Deslice las manos por las piernas rectas hasta los pies arqueados. Mantenga la postura máxima 1-5. *Espire* 1-5, relajándose hasta la posición inicial. Variante: levante el torso y las piernas hasta una postura de «V» equilibrada.

4 Partiendo de una posición sentada, con las piernas rectas y las manos sobre la parte superior de los muslos, *inspire* 1-5. *Espire* 1-5, deslizando las manos por las piernas estiradas, hacia los pies arqueados. Mantenga la postura máxima 1-5. *Inspire* hasta alcanzar la postura erguida y luego *espire*.

Repita cada ejercicio 1-5 veces. Introduzca variantes: 1) manteniendo piernas y brazos juntos, y 2) flexionando los dedos de los pies hacia arriba.

Tensiones de la vida actual

Exceso de trabajo

Problema. Es facilísimo excederse en el trabajo. A veces, cuando la vida se pone fea, hacemos del trabajo una droga. A veces tratamos de compensar una ineficacia general.

Solución. El secreto radica en conseguir el equilibrio adecuado entre trabajo y ocio. La práctica del yoga incrementa la energía mental y espiritual que se requiere para descubrir y practicar continuamente tal equilibrio. Si usted realiza sus sesiones de yoga con conciencia total, pronto empezará a sentir un frescor en su enfoque de la vida.

Como decíamos en la página 13, la meta de todo estudiante de yoga debería ser encontrar su propia postura dinámica. Vaya a la sección yogarritmo, que comienza en la página 69, e intente practicar aquellas series. Puede que allí dé con su postura dinámica. Si no, hojee el resto del libro y experimente por su cuenta. El sencillo ejercicio que sigue es una relajación previa a su propia postura dinámica.

Modelo de respiración. Normal (véase pág. 17). No ha lugar a respiración completa.

Pelele: **1** Abra las piernas 60-90 cm. *Inspire* profundamente, enderezando la columna.

2 *Espire* lentamente, dejando caer el cuerpo empezando por la cabeza hasta la pelvis, con los brazos colgando muertos.

3 Siga dejándose caer lo más posible. La posición ideal es con los brazos colgando entre las piernas rectas.

4 *Inspire,* incorporándose desde la pelvis con las piernas rectas y los brazos a los lados.

5 *Espire,* arqueando la cabeza y después el torso hacia atrás mientras desliza el dorso de las manos piernas abajo.

6 *Inspire,* incorporándose, subiendo primero el torso y luego la cabeza. Junte las piernas. *Espire,* volviendo a dejarse caer.

7 *Inspire,* incorporándose. *Espire,* arqueándose hacia atrás con las piernas juntas o separadas.

8 *Inspire,* incorporándose. *Espire* dejándose caer y doblando las rodillas a medida que empiezan a caer el torso y la cabeza. *Inspire* incorporándose.

9 *Espire,* arrodillándose. *Inspire,* dejándose caer desde la cintura hasta presionar sobre la parte posterior de la cabeza, los brazos muertos con las palmas hacia arriba. *Espire,* sentándose sobre los talones con el cuerpo y la cabeza vencidos hacia delante, los brazos muertos y las palmas arriba.

Tensión de cuello y hombros

Problema. Probablemente es usted perfectamente consciente de que la tensión en el cuello y los hombros es el primer signo de un inminente dolor de cabeza, o hasta de jaqueca. La causa fundamental es la acumulación de una tensión oculta en el centro nervioso situado entre el cuello y los hombros.

Solución. Estos movimientos estiran toda la columna, para luego hacerla girar suavemente, contribuyendo así a desalojar la tensión que provoca estas molestias. Cuando haya aprendido

a estirarse del todo, habrá aprendido a relajarse del todo.

Modelo de respiración. Normal (véase pág. 17). Se puede hacer la respiración completa en las posturas máximas.

Nota. La cabeza debe seguir *siempre* la dirección del giro. Mantenga la barbilla alta y siga con la vista el hombro correspondiente. Si le resulta difícil mantener el equilibrio en el giro de pie, ayúdese permaneciendo con la espalda a unos 15 cm. de una pared.

Preparación: 1 Abra las piernas 60-90 cm. *Inspire* 1-5, colocando la mano izquierda al final de la espalda. *Espire* 1-5, girando el cuerpo a la izquierda y poniendo la mano derecha sobre la parte superior del muslo izquierdo. *Respiración completa.*

2 *Inspire* 1-5. *Espire* 1-5, bajando con la mano derecha por la cara externa de la pierna izquierda hasta tocar el suelo bajo el talón. *Respiraciones completas. Inspire* 1-5, incorporándose. *Espire* 1-5. Repita hacia el otro lado.

Giro espinal de pie (vista lateral). Junte las piernas. *Inspire* 1-5, levantando la pierna izquierda y sosteniéndola por debajo del muslo con la mano o el brazo derecho. *Espire* 1-5, girando el torso a la derecha, las manos juntas tras la espalda. *Respiración completa.* Repita hacia el otro lado.

Giro espinal sentado: 1 Siéntese con las piernas rectas. *Inspire* 1-5, enderezando la columna. *Espire* 1-5, girando el torso a la izquierda. Fíjese en la posición de las manos. *Respiraciones completas.* Vuelva a la postura inicial.

2 Acerque la rodilla izquierda al pecho mientras *inspira* 1-5. *Espire* 1-5, girando el torso a la izquierda y agarrando la pierna izquierda con el brazo derecho, la otra mano tras la nalga izquierda. *Respiraciones completas.* Vuelva a la postura inicial. Repita con las dos rodillas.

3 *Inspire* 1-5 y cruce el pie izquierdo sobre el muslo derecho, rodeando la pierna con el brazo derecho. *Espire* 1-5 y repita el giro hacia la izquierda. *Respiración completa* en la máxima postura de giro. Vuelva a la postura inicial.

4 Doble las rodillas, con los pies juntos, y deslice la mano derecha bajo las piernas hasta cogerse el tobillo derecho; tire del pie por debajo del muslo izquierdo hasta que la rodilla toque la parte de atrás del pie izquierdo. Ponga las manos sobre el tobillo izquierdo. *Respiraciones completas.*

5 *Inspire* 1-5, desplazando el pie izquierdo hasta la altura del muslo derecho. *Espire* 1-5, girando el torso a la izquierda, el brazo derecho rodeando la rodilla y la mano izquierda empujando el suelo para estirar la columna. *Respiraciones completas.*

6 *Inspire* 1-5 y *espire* 1-5, deslizando el brazo derecho bajo el muslo izquierdo e intentando cogerse las manos o las muñecas a la espalda. *Respiraciones completas.* Repita **1-6,** girando a la derecha.

Dolor de cabeza y jaqueca

Problema. La causa de muchos dolores de cabeza y jaquecas es la incapacidad de abandonarse y relajarse del todo sin tener a un tiempo mala conciencia porque se debería estar haciendo algo más «útil».

Solución. La eficacia de estos movimientos muy básicos radica en su sencillez. Las mayores revelaciones pueden hallarse en la quietud, y estos provechosos ejercicios deberían ser realizados muy despacio y con plena conciencia de la relajación que está teniendo lugar en el cuello y los hombros. En esta zona se albergan las tensiones que causan malestar.

Modelo de respiración. Normal (véase pág. 17). Sólo cabe la respiración completa al finalizar la serie de estiramiento de cuello y hombros.

Nota. El mejor momento para practicar es cuando no sufre usted molestias.

Preparación: 1 Siéntese sobre los talones con las manos posadas en el suelo a los lados e *inspire* 1-10.

2 *Espire* 1-10, inclinando la frente hacia el suelo, junto a las rodillas. Las palmas posadas levemente a los lados.

3 *Inspire* 1-10, enderezándose lentamente desde la base de la columna. *Espire* y relájese. Repita **1-3** antes de seguir con el plan indicado.

Rotación de cabeza. Sentado sobre los talones, *inspire* y *espire,* rotando la cabeza en círculo, hacia la derecha. Sienta estirarse las distintas partes del cuello a medida que trabajan. Repítalo 3 veces cambiando el sentido del giro.

Rotación de hombros. Sentado sobre los talones, ponga las manos en los hombros. *Inspire,* juntando los codos por delante. *Espire,* rotando los brazos en círculo: arriba, atrás, al frente. Repita 3 veces en el sentido de las agujas del reloj, y luego al revés.

Estirado de hombros. Sobre los talones, *inspire* y *espire,* presionando con el dorso de la mano derecha la parte superior de la columna. Use la otra mano para empujar el brazo derecho hacia arriba. Repita cambiando de brazo.

Estirado de cuello y hombros: 1 Sobre los talones, suba el brazo derecho por la columna. *Inspire* 1-10, estirando el brazo izquierdo hacia arriba y por encima del hombro hasta colocar la palma izquierda sobre la derecha.

2 *Espire* 1-10, inclinándose hasta colocar el codo izquierdo frente a la rodilla izquierda. *Inspire* 1-10, alzando las caderas y estirando la nuca hasta aplastar la coronilla contra el suelo.

3 *Espire* 1-10, deslizando hacia atrás la pierna izquierda hasta dejarla recta y sentándose en el pie derecho. Apóyese en la frente.

Continuación del estirado de cuello y hombros

4 *Inspire* 1-10, subiendo las caderas y aplastando la coronilla contra el suelo para devolver la pierna izquierda a la posición para sentarse.

5 *Espire* 1-10, dándose suaves masajes en la nuca y la cabeza con el dedo medio de la mano izquierda mientras deja caer el brazo izquierdo hacia delante y el derecho a un lado, con las palmas hacia arriba.

6 *Inspire* despacio, incorporándose suavemente hasta quedar sentado con el tronco recto y poniendo los brazos en el regazo. *Espire* y relájese. Repita **1-6** para el lado contrario.

7 Todavía sentado, *inspire* 1-10, elevando los brazos sobre la cabeza y bajándolos hasta posar las manos en la columna, la izquierda sobre la derecha.

8 *Espire* 1-10, inclinándose hacia delante hasta que los codos toquen el suelo y la barbilla quede pegada al pecho.

9 *Inspire* 1-10, cargando el peso sobre los codos. Las manos se deslizan ahora hasta rodear la nuca y la cabeza se mantiene a poca distancia del suelo.

10 *Espire* 1-10, bajando las caderas sobre los pies mientras deja caer los antebrazos hacia delante, la mano izquierda todavía sobre la derecha, las palmas hacia arriba.

11 *Inspire*, enderezándose y arrastrando los brazos hasta el regazo. *Espire* mientras las manos se posan con las palmas hacia arriba y las puntas de los pulgares tocándose.

12 Descanse unos minutos con los ojos levemente cerrados y vuelva a respirar a su ritmo natural. Repita **1-12** para el lado contrario.

El masaje puede contribuir eficazmente a la curación y prevención de dolores de cabeza y jaquecas.

Muchos de estos movimientos puede realizarlos usted solo con considerable provecho, pero sus efectos serán aún más relajantes si convence a alguien de que le ayude. El masajista también sale beneficiado, al dejar de lado sus propios problemas para ayudar a otra persona.

Intente poner una música de fondo lenta mientras realiza el masaje. Al terminar la serie cubra suavemente las orejas con las manos ahuecadas durante unos minutos. Así, al eliminar los sonidos del exterior, se refuerza la acción del masaje.

Nota. Lo único que se necesita para la presión circular es un movimiento *muy ligero* del cuero cabelludo bajo los pulgares, como dibujando círculos. A propósito, las sienes son las depresiones que se hallan a ambos lados de la cabeza, a la altura de las cejas.

Tracción dorsal. Colóquese a horcajadas sobre los muslos del compañero, que yace boca abajo, con la cabeza y brazos a los lados. Agárrele de las caderas y tire, enderezando despacio sus piernas según lo levanta. Devuélvalo al suelo. Repita 1-6 veces.

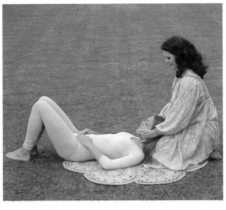

Tracción de cuello. Siéntese sobre los talones, con la nuca de su compañero sobre su regazo, y las rodillas de éste juntas y levantadas. Una las manos bajo su barbilla y tire del cuello y la cabeza hacia sí. Repita 1-6 veces.

Tracción de cabello y cuero. Vuelva la cabeza de su compañero hacia la izquierda, con la barbilla posada en su mano izquierda. Coja algo de cabello, cerca del cuero cabelludo, y estírelo suavemente en sentido rotativo. Repita hacia la derecha, y otra vez a la izquierda. Repítalo todo 1-6 veces.

Masaje frontal. Empezando por la parte superior de la frente, presione con los pulgares, desde el centro hacia las sienes, acabando con una *suave* presión circular en las sienes. Repita, bajando hasta las cejas. Repita todo 1-6 veces.

Masaje ocular. Presione con los pulgares hacia fuera desde el extremo de las órbitas hasta la parte entre ojos y cejas, terminando con una presión circular en las sienes. Repita debajo de los ojos. Repita todo 1-6 veces.

Masaje de mejillas. Presione con los pulgares hacia fuera desde el puente de la nariz, pasando por las mejillas, hasta terminar con una presión circular en las sienes. Repita, siguiendo el masaje nariz abajo, alrededor de los pómulos y luego por las sienes. Repita todo 1-6 veces.

Masaje labial. Empezando por debajo de la nariz, presione con los pulgares hacia debajo de las mejillas y luego a las sienes, acabando con una presión circular de las puntas de los pulgares. Repita por los labios muy suavemente. Repita todo 1-6 veces.

Masaje maxilar. Pince ligeramente las mandíbulas del compañero entre los dedos índice y pulgar, justo en la barbilla, y tire siguiendo la línea de la mandíbula para acabar con una presión circular sobre las sienes. Repita 1-6 veces.

Masaje de sienes. Ponga los pulgares sobre las sienes del compañero, los demás dedos posados bajo la barbilla. Presione *suavemente* con los pulgares en el sentido de las agujas del reloj 6 veces y otras 6 al contrario, ejerciendo una presión cada vez más ligera.

Depresión y ansiedad

Problema. Si todavía no ha leído la sección de respiración y relajación, ni ha trabajado sobre ella, mire ahora la página 15. Si ya lo hizo, entonces sabrá cuán íntimamente ligados se hallan sus hábitos respiratorios y su pensamiento, y en qué medida la relajación y una respiración adecuada serenan su mente.
Solución. Estos ejercicios respiratorios son tan sólo una prolongación de los buenos hábitos que ha ido aprendiendo. La respiración completa le enseñó a utilizar la totalidad de la fuerza natural de sus pulmones y a vaciarlos por completo; tras

un breve período usted será capaz de hallar en tal técnica fortaleza y armonía haciendo unas cuantas respiraciones completas a medida que se enfrenta a su labor diaria. Ahora va a empezar a controlar y desarrollar su respiración.
Nota. Vaya con cuidado al empezar a hacer estos ejercicios. Limítese a uno por sesión y empiece a practicar tumbado. Si se marea, pare de inmediato y relájese en postura de reposo (vea pág. 15). Es debido tan sólo a la desusada fuerza que le está aportando todo ese oxígeno.

arriba a la izquierda
Respiración de expansión: 1 Siéntese en una de las posturas del loto (vea pág. 37).

2 Ponga las manos a la altura del pecho, las palmas hacia abajo, las puntas de los dedos juntas. *Inspire* 1-20, echando para atrás los codos según se expande el pecho.

3 *Espire* 1-20, juntando de nuevo las puntas de los dedos. Relájese.

4 Repita 6 veces.

arriba a la derecha
Respiración de contracción: 1 Sentado en una de las posturas del loto, ponga las manos en el abdomen inferior, juntas las puntas de los dedos. *Inspire* 1-20 y *espire* 1-20.

2 Sin respirar, contraiga el estómago 1-20 y relájelo 1-20.

3 *Inspire* 1-20 y *espire* 1-20.

4 Repita 6 veces.

a la izquierda
Respiración por una ventana nasal: 1 Siéntese en una de las posturas del loto, las dos manos sobre el regazo.

2 Tape la ventana nasal derecha con el pulgar derecho, el resto de los dedos rectos frente al rostro.

3 *Inspire* 1-20 por la ventana nasal izquierda. Forme un puño y tape la nariz 1-20. Suelte los dedos y *espire* 1-20 por la ventana nasal izquierda.

4 Sin respirar, contraiga el abdomen 1-20. Relájelo 1-20.

5 Repita **2-3**.

6 Repita **2-5,** tapando la ventana nasal izquierda con el pulgar izquierdo.

7 Repita 3 veces a ambos lados.

Según la mitología india, esta serie de movimientos fue creada como acción de gracias al sol, símbolo de la luz y la energía. La suave y cálida tibieza que me embarga al acabar hace que siempre me parezca más que natural mostrar también mi agradecimiento.

Efectos. En unos pocos minutos se pueden eliminar depresiones y ansiedades expulsando a base de estiramiento las tensiones que se acumulan en el plexo solar y el pecho. Practique la serie diez veces al día, invirtiendo unos 5-10 minutos en total.

Es ésta una serie de ejercicios ideal para reponer fuerzas, tanto si es usted una fatigada ama de casa como un estudiante o un hombre o mujer de negocios. También los niños pueden disfrutar con estos movimientos fluidos, fáciles, que refuerzan el sentido general del ritmo y la flexibilidad natural.

Modelo de respiración. Normal (véase pág. 17). No ha lugar a respiración completa.

Ejercicios solares: 1 En pie, con las piernas juntas y los brazos a los lados. Suba las manos hasta el plexo solar, las palmas unidas y las puntas de los dedos juntas. *Inspire,* empujando con las palmas hacia dentro y hacia abajo a medida que se hincha el pecho.

2 *Espire,* arqueando hacia atrás el torso, el dorso de las manos contra el dorso de los muslos, los hombros encogidos hacia atrás.

3 *Inspire* mientras se incorpora, con los brazos a los lados. *Espire,* dejándose caer, con las piernas rectas, hasta colocar las palmas de las manos contra el suelo.

4 *Inspire,* desplazando la pierna derecha hacia atrás hasta apoyar en la punta del pie, mientras se dobla la rodilla izquierda. Mantenga la cabeza en alto, el cuerpo alineado con el muslo izquierdo y las manos a ambos lados del pie izquierdo.

5 *Espire,* desplazando la pierna izquierda hasta juntarla a la derecha. Mantenga la postura durante 1-5.

6 *Inspire,* alzando las caderas, mientras con los brazos empuja la barbilla contra el suelo y presiona hacia abajo con los talones.

7 *Espire,* echando el pie derecho hacia delante hasta ponerlo entre los brazos, recobrando la postura mostrada en **4** (cambiando de lado).

8 *Inspire,* uniendo la pierna izquierda a la derecha y luego incorporándose lentamente, hasta quedar con el torso vencido hacia delante, las piernas rectas y el dorso de las manos sobre el suelo.

9 *Espire,* volviendo a la postura inicial, los brazos muertos a los lados. Descanse unos minutos con los ojos cerrados. Repita **1-9,** para el otro lado.

Problemas de tensión sanguínea

El establecimiento de modelos de respiración sanos constituye la base para la prevención y curación de estos problemas. La práctica de esa terapia natural que son unas técnicas respiratorias correctas (amén de la relajación y la meditación) durante tan sólo 15 minutos al día pronto surtirá benéficos efectos.

Tensión alta. Practique la respiración del guerrero, la respiración del latido, y esta variante de la respiración nasal alterna.

Tensión baja. Practique la respiración del latido, la variante de la respiración nasal alterna, la postura de rodillas junto a orejas y el clavo.

Nota. No debería resentirse de la práctica de estos ejercicios. Si le ocurre, lo mejor que puede hacer es respirar por la boca hasta que el ejercicio resulte más fácil. Después, cuando vuelva a respirar por la nariz, aminore al principio la cuenta de la respiración.

Respiración del guerrero: 1 Siéntese en los talones, las manos sobre las rodillas en la cuarta postura de manos del loto (véase pág. 37). *Inspire* 1-20, haciendo un sonido «sa»; el estómago queda en relax mientras el pecho y las costillas se ensanchan. *Espire* 1-20, con sonido «ja». Repita 1-10 veces.

2 Desplace las manos a los lados hasta dejar las puntas de los dedos fuera de las rodillas. Alce las caderas y separe los pies; baje las caderas al suelo, entre los pies. Ponga las manos en las rodillas como en **1**. Repita la *respiración del guerrero,* con las puntas de los dedos en el suelo al inspirar.

3 Doble las piernas en una de las posiciones del loto (véase pág. 37). Repita la *respiración del guerrero,* dejando que las costillas y pecho se hinchen y se relajen sin que lo impidan los brazos extendidos.

4 Siéntese con las piernas rectas. Doble lateralmente la pierna derecha hasta dejar el pie junto a la cadera. *Inspire* y *espire,* agarrando la pantorrilla izquierda mientras se estira hacia abajo, empujando con el torso para bajar la pierna. 2-3 *respiraciones del guerrero.* Repita para el otro lado.

5 Repita el estiramiento de **4,** pero con ambas piernas rectas y los pies doblados para arriba. 2-3 *respiraciones del guerrero* en la postura máxima, relajándose desde los hombros hasta las puntas de los dedos. *Nota.* La barbilla siempre separada del pecho.

Respiración del latido. En la postura de reposo (véase pág. 15); ponga la mano derecha sobre el corazón. Relájese unos minutos, dejando que el corazón lata a su propio ritmo. 2-3 *respiraciones del guerrero.* Descanse 15 minutos con los brazos a los lados.

Variante de la respiración nasal alterna. Tape la ventana nasal derecha con el pulgar derecho, los otros dedos como en la fotografía. *Inspire* 1-10 por la ventana nasal izquierda. Tápela con los dedos doblados y *espire* 1-10 por la derecha. Hágalo al revés. Repita 1-5 veces.

Postura de rodillas junto a orejas. Túmbese boca arriba con las piernas juntas. Doble las rodillas e *inspire* 1-5. *Espire* 1-5, haciendo el arado (véase pág. 47). *Inspire* y *espire,* cogiendo las rodillas hasta las orejas, y sosteniendo piernas o espalda. Caiga sobre la espalda. Repita 1-5 veces.

Clavo. Repita el arado y, sosteniendo la espalda, encoja las rodillas hasta la frente antes de subirlas hasta el clavo (véase pág. 48). *Respiraciones completas* por la boca hasta que adquiera control. Déjese caer doblándose y descanse boca arriba 15 minutos.

Insomnio

La fuente de la paz y la tranquilidad se halla en nuestro interior. Si lo recordáramos, podríamos reposar de mente y alma a voluntad.

Alivio instantáneo. Antes de irse a la cama, intente descansar con las piernas apoyadas contra la pared durante 5-10 minutos. En la cama, simplemente descanse, aplicando todo lo que ha aprendido de la relajación y la respiración completa (véase pág. 15).

Solución. Las posturas invertidas (o cabeza abajo) son a menudo las más beneficiosas. Ello se debe a que el incremento del flujo sanguíneo en la cabeza aporta una sensación positiva de bienestar que neutraliza todo pensamiento negativo. La postura de tranquilidad presenta una técnica relativamente sencilla. Más tarde puede usted acometer el clavo (véase pág. 48) o el pino (véase pág. 49), pero no se atosigue. No salga de las rutinas sencillas hasta que el cuerpo esté preparado.

Nota. Acabe con la relajación y la respiración completa.

Importante. Repase «Cuidado con la salud» en la página 12.

Postura de la tranquilidad: 1 Túmbese boca arriba, los brazos a los lados. *Inspire* 1-10 y *espire* 1-10, elevando las piernas, con las palmas apoyadas contra el suelo para impulsar las piernas por encima de la cabeza. Sostenga el final de la espalda con las manos. *Respiraciones completas.*

2 *Inspire* 1-10 y *espire* 1-10, alejando aún más el torso del suelo hasta que el cuerpo quede apoyado en los hombros, que presionan contra el suelo. Ponga las manos, una después de otra, en las rodillas y guarde el equilibrio. *Respiraciones completas.*

3 *Inspire* 1-10 y eleve el torso proyectando las caderas hacia dentro y hacia adelante. *Espire* 1-10, enderezando las piernas y poniendo las manos en los muslos. *Respiraciones completas.* Baje lentamente el cuerpo hasta el suelo deslizando las manos hasta las caderas y luego rodando hasta la postura de reposo (véase pág. 15).

Embarazo

Yo misma empleé este programa a lo largo de mi embarazo y me resultó muy provechoso. Estas fotografías se hicieron cuando estaba de seis meses.

El parto en cuclillas es bastante corriente en la India, así que me pareció natural imitar esa postura, aparentemente efectiva, en unos ejercicios que deben ser practicados diariamente, durante 10-15 minutos. Los futuros padres también saben de las aflicciones y congojas que experimenta la que será madre, por lo que resulta de gran ayuda practicar estos ejercicios en compañía. Todos estos ejercicios pueden emplearse después del parto para devolver a los músculos su estado normal.

Parto. En la primera fase utilice las cuclillas en movimiento, con los pies ligeramente separados durante las contracciones preliminares. Inspire y espire lenta y profundamente por la boca. Para ejercicios más avanzados, vea la página 31.

Modelo de respiración. Normal (véase pág. 17). No respiración completa.

Nota. Movimiento en cuclillas: también apoyado en una silla.

Importante. Consulte a su médico antes de afrontar cualquiera de los programas de ejercicios.

Movimiento en cuclillas: 1 En pie, con los pies separados 60-90 cm., mirando hacia afuera. *Inspire* 1-5. *Espire* 1-5, doblando las rodillas hasta quedar en cuclillas. Las puntas de los dedos delante del cuerpo, tocando el suelo. Enderece las piernas para levantarse. Repita 6 veces.

2 En cuclillas, *inspire* y *espire* cargando el peso en el pie izquierdo (talón levantando) y estirando la pierna derecha. Cargue el peso en el pie derecho, y luego otra vez en el izquierdo, manteniendo un movimiento continuo de uno a otro lado.

3 Repita el movimiento descrito en **2**, pero con las manos juntas sobre el plexo solar y apuntando hacia arriba.

Arrodillado en cuclillas: 1 Siéntese sobre los talones con los brazos a los lados. *Inspire* 1-5, enderezando la columna.

2 *Espire* 1-5, alzando las caderas y cargando el peso en las puntas de las manos, colocadas al lado de las rodillas. Deslice la pierna izquierda hacia atrás, desde el comienzo de la cadera, y mantenga los pies en relax.

3 Siéntese en el pie derecho, los brazos a los lados, e *inspire* 1-5. *Espire,* alzando las caderas y arrastrando la pierna derecha (con la rodilla en el suelo) hasta la postura **1**. Repita 6 veces, cambiando de pierna.

4 Separe las rodillas, los brazos aún a los lados, e *inspire* 1-5. *Espire* 1-5, deslizando los brazos por el suelo hacia adelante, las palmas hacia abajo, alineadas con los hombros. *Inspire* 1-5, volviendo a sentarse erguido, los brazos a los lados. Repita 6 veces.

5 Alce las caderas y, cargando el peso en las puntas de los dedos, separe los talones, bajando las caderas entre los pies, las manos en las rodillas. *Espire* 1-5, deslizando hacia delante los brazos, en línea con los hombros. *Inspire* 1-5, volviendo a la posición erguida. Repita 6 veces.

6 Gire los dedos de los pies hasta quedar de puntillas. *Espire* 1-5 estirándose hacia delante. *Inspire* 1-5, volviendo a la posición erguida. *Espire* y relájese. Repita 6 veces.

Modelo de respiración. Normal. Es posible la respiración completa en el arqueo en cuclillas.

Arqueo en cuclillas: 1 Siéntese sobre los talones, los brazos a los lados, e *inspire* 1-5. *Espire* 1-5, arqueando la cabeza y el cuerpo hacia atrás, apoyándose en las manos, puestas algo detrás de los pies. *Inspire* 1-5 incorporándose.

2 Alce las caderas para separar las piernas y siéntese entre los pies. *Espire* 1-5, arqueando hacia atrás cabeza y cuerpo. Siga arqueándose hacia atrás hasta apoyarse primero en el codo derecho y luego en el izquierdo. La coronilla debe tocar el suelo.

3 *Inspire* 1-5. *Espire* 1-5, deslizándose hasta que queden la cabeza y la columna en el suelo, y relajando los brazos junto al cuerpo. *Respiración completa,* relajando el estómago y la columna.

Giro en cuclillas: 1 En pie, las piernas juntas y los brazos a los lados. Proyecte la pierna derecha hacia delante, bajando la rodilla izquierda y las puntas de los dedos hasta el suelo. *Inspire.*

2 *Espire,* adelantando las caderas y estirando la pierna derecha, la izquierda sigue recta. Elévese apoyándose en las manos, situadas a los lados de la pierna adelantada. Repita 3-6 veces.

3 (vista lateral). Coloque las manos al lado izquierdo e *inspire,* girando el cuerpo levantado a la izquierda, mirando hacia las manos. *Espire,* usando de nuevo las manos para girar a la izquierda. Invierta el movimiento semicircular; luego repita 1-5 veces. Repita **1-3** para el otro lado.

Sentado en cuclillas: 1 Siéntese con las plantas de los pies juntas, las manos unidas debajo. *Inspire* 1-5, contrayendo los órganos internos hacia arriba y subiendo las rodillas hasta los hombros.

2 *Espire* 1-5, relajando los órganos internos y las caderas y llevando las rodillas al suelo mientras tira de los pies hacia adentro y endereza la columna. Repita **1-2,** 3-6 veces.

3 *Inspire,* poniendo las puntas de los dedos en el suelo, a la espalda, y *espire,* cargando el peso en el canto de los pies y sacando las rodillas.

Modelo de respiración. Inspire por la nariz y espire por la boca, a diferencia de la respiración jadeante, en la que sólo se usa la boca. Se puede hacer la respiración completa en el reposo en cuclillas.

Parto. Entre las fases primera y tercera se puede practicar el reposo en cuclillas: **1** para la primera fase; **2** entre contracciones, en la segunda fase; **3** para la tercera.

Ejercicios tonificantes. Pueden practicarse antes y después del parto. Pero inicie su programa de ejercicios pre-parto con

mucho cuidado, introduciendo la siguiente variante de la **respiración de contracción.** *Inspire* 1-20, contrayendo hacia arriba los órganos genitales, el estómago y los músculos internos. Mantenga 1-20. *Espire* 1-20, relajándose totalmente. Repítalo diez veces al día, volviendo a hacer, con cuidado, los ejercicios normales sólo cuando le resulte cómodo.

Nota. Si le resulta imposible alcanzar el máximo estiramiento en la proyección en cuclillas, limítese a inclinar la barbilla o la coronilla hacia el suelo.

Proyección en cuclillas: 1 Siéntese con las plantas de los pies juntas, las manos en las rodillas. *Inspire* 1-5, bajando las manos hasta unirlas bajo los pies, y *espire* 1-5, tirando hacia arriba de la columna e inclinándose. Incorpórese. Repita 3-6 veces.

2 Repita el estirado hacia delante, arqueando la columna, pero llevando la coronilla hasta el suelo, entre los pies. Pegue firmemente la barbilla al pecho e incorpórese, relajando la barbilla al final. Repita 3-6 veces.

3 Rodeando los pies con las manos unidas, tire de ellos hacia el cuerpo. Agarre los dedos gordos e *inspire*, estirándose. *Espire* 1-5 e inclínese, doblando la espalda, hasta tocar el suelo con la barbilla. Incorpórese. Repita 3-6 veces.

Reposo en cuclillas: 1 Túmbese boca arriba con las piernas en cualquiera de las tres primeras posturas del loto (véase pág. 37), las manos en la tripa. Hínchese suavemente al inspirar hasta su propia cuenta máxima. Relájese al espirar. Repita 3 veces.

2 Ponga las manos sobre las costillas o el pecho. Siéntalos hincharse y relajarse al hacer 3 *respiraciones completas*.

3 Pose la nuca sobre las manos, las palmas hacia arriba. Haga varias «respiraciones jadeantes» o *respiraciones completas*.

Ejercicios tonificantes: 1 Túmbese con los brazos a los lados, las palmas para abajo. Apoyando las manos en el suelo, alce las piernas en ángulo recto con el cuerpo. *Inspire* 1-5 y *espire* 1-5, separando las rodillas. Déjese ir hasta la postura inicial. Repita 3-6 veces.

2 Doble las rodillas e *inspire* 1-5, apoyando las manos en el suelo para alzar caderas y torso, y contrayendo el estómago y órganos genitales, la barbilla pegada al pecho. *Espire* 1-5, bajando el cuerpo hasta el suelo. Déjese caer hasta la postura inicial. Repita 3-6 veces.

3 Relájese durante 5-15 minutos en la postura de reposo (véase pág. 15) o como en la foto, los brazos separados del cuerpo y los ojos cerrados, mientras respira a ritmo natural.

Niños

En la actualidad se hace mucho hincapié sobre la forma en que tocamos y cuidamos a nuestros hijos. Los médicos aconsejan cada vez más demostrar el afecto no tanto verbalmente sino más bien mediante el contacto cariñoso, ya sea con el masaje o con suaves movimientos de estiramiento, que contribuyen a que más adelante nuestros hijos tengan mayor flexibilidad.
Solución. Todos estos movimientos están ideados para fomentar un crecimiento natural y saludable. El espagat básico es, en esencia, muy parecido al giro en cuclillas que venía en la sección de embarazo (véase pág. 32). Es un ejercicio dinámico que realicé con mi hijo pequeño desde que tenía solamente unas pocas semanas, aumentando la intensidad del estiramiento a lo largo de varios meses.

Cuando los chicos sean lo bastante mayores, anímeles a realizar los ejercicios por sí solos.

Espagat: 1 Siéntese con las piernas rectas. Tienda al niño en sus piernas, la cabeza hacia sus pies. Enderécele la pierna derecha, cogiéndola por la rodilla y el pie, y tire de los dedos suavemente hacia arriba y hacia abajo para estirar los tendones. Repita con la pierna izquierda.

2 Coja la pierna derecha del chico con ambas manos, y vaya bajándolas por la pierna, hasta acabar arqueando el tobillo y los dedos de los pies. Baje la pierna derecha y déjela relajarse. Repita con la pierna izquierda.

3 Agarrándole de los tobillos, abra las piernas del chico dejándolas en espagat. Tire suavemente del pie derecho hacia la oreja del chico, y del izquierdo hacia su derecha. Júntele las piernas y déjelas relajarse. Repita 6-12 veces cambiando de lado.

Arado: 1 Colóquese y coloque al niño igual que en el espagat. Agarrándole los tobillos, estire las piernas del chico por encima de su cabeza, intentando que no se le doblen las rodillas.

2 Siga estirando de él suavemente hacia los lados, hasta que sus pies toquen el suelo, a ambos lados de las piernas de usted. Suelte las piernas y déjele relajarse.

3 Siéntese sobre los talones y ponga al chico de lado, frente a usted. Sosteniéndole por el trasero, inclínele el cuerpo hasta que la cabeza quede entre las piernas, tocando el suelo. Enderécele y déjele relajarse. Repita 6-12 veces.

Arco. Colóquense como para el espagat. Arquee el cuerpo del chico hacia atrás al doblar usted las rodillas, agarrándole de los brazos. Estire las rodillas y déjele relajarse. Repita 6-12 veces.

Zorra. Siéntese sobre los talones, las rodillas separadas, con el niño entre los muslos. Agárrele de los tobillos y álcele las piernas a ambos lados de la cabeza. Bájelas al suelo y déjele relajarse. Repita 6-12 veces.

Loto. Colocados como en la zorra, las plantas de los pies del niño juntas. Empújele las rodillas contra el suelo. Tire de las piernas del chico, primero la derecha y luego la izquierda, hacia el cuerpo, cruzando la izquierda sobre la derecha. Suéltele las piernas y déjele relajarse. Repita 6-12 veces.

Niños

Aprender el alfabeto y luego a leer puede resultar, para muchos niños, difícil y aburrido. Este grupo de movimientos, excepcional y fácil de hacer, puede servir de ayuda, ya que enseña a los chicos a dibujar los trazos de las letras con su propio cuerpo. Así las letras resultan divertidas, y una vez que el chico ha aprendido el alfabeto puede intentar deletrear palabras, o incluso frases.

A

E

F

G

K

L

M

P

Q

R

V

W

B

C

D

H

I

J

N

O

S

T

U

X

Y

Z

Los ejercicios del loto se cuentan entre las más famosas de todas las posturas yóguicas. Imitan la hermosa flor de loto india y encierran el símbolo del amor; las piernas representan los pétalos de la flor de loto, y como ellos, si se practica con paciencia, llegarán a abrirse por completo.

Todos estos ejercicios del loto son buenos para los niños, ya que fomentan y mantienen su flexibilidad natural.

Modelo de respiración. Normal (véase pág. 17). No ha lugar la respiración completa.

Nota. La barbilla debería permanecer separada del pecho en todos los estiramientos hacia adelante, y la vista al frente, salvo que logre usted alcanzar la postura máxima en **5.**

Cuarto de loto: 1 Siéntese con las piernas rectas y el cuerpo erguido. *Inspire*, poniendo las palmas de las manos tras la espalda y doblando las rodillas.

2 Deslice la mano izquierda bajo las piernas y agarre el tobillo derecho. *Espire*, tirando de la pierna derecha por debajo del muslo izquierdo hasta que el pie apoye contra toda la nalga izquierda. Devuelva la mano izquierda a su sitio tras la espalda. Esto es el cuarto de loto.

3 Agarre el tobillo izquierdo con la mano derecha y gire el pie hacia el muslo derecho. Pose allí la rodilla. Ponga la mano izquierda sobre la rodilla izquierda, y la derecha encima, para tener el doble cuarto de loto. Apóyese de nuevo en las manos para soltar las piernas. Repita, cambiando de lado.

Medio loto: 1 *Inspire*, sentándose con piernas rectas, mano izquierda sobre rodilla izquierda, y derecha encima. *Espire* y baje las manos por la pierna. Coja el pie, pulgares en el empeine, e *inspire* deslizándolo junto a pierna derecha. *Espire*, mano izquierda sobre derecha en la pierna extendida.

2 *Inspire* y *espire*, bajando las manos por la pierna estirada. Mantenga la postura máxima, la barbilla contra la pierna o el suelo, y, si puede, enlace los dedos alrededor del empeine. *Espire*, incorporándose lentamente hasta la posición de sentado.

3 *Espire*, poniendo el pie izquierdo sobre la parte inferior de la pierna derecha y subiéndolo hasta el muslo. *Inspire*, enderezando la columna y *espire*, bajando las manos y el cuerpo por la pierna derecha. Incorpórese y enderece la pierna. Repita **1-3** con el pie derecho.

4 Con las piernas rectas, *inspire* y doble la rodilla izquierda. Sosteniendo el pie izquierdo con la misma mano *espire*, tirando del pie hacia la parte exterior del muslo izquierdo. Baje la rodilla izquierda al suelo. Pose las manos, izquierda sobre derecha, en la pierna derecha, recta.

5 *Inspire* y *espire*, bajando las manos por la pierna derecha (los dedos de los pies doblados hacia arriba). Mantenga la postura máxima, las manos enlazadas alrededor de la planta. Incorpórese lentamente hasta la posición de sentado.

6 Repita **4-5,** sustituyendo el pie derecho por el izquierdo. Luego repítalo con ambos pies a los lados. Repita por último el estirado hacia delante, apoyándose en las puntas de los pies.

Modelo de respiración. Normal (véase pág. 17), pudiéndose hacer la respiración completa al culminar cada una de las cuatro posturas.

Adultos. Estas series de ejercicios a menudo no resultan fáciles para la gente normal. Si decide intentarlo, ármese de paciencia. Varios de los ejercicios de meditación y/o respiración exigen estar sentado en la postura del loto. No es necesario que realice la postura completa. Elija cualquiera de las fases, la que le resulte más cómoda. Lo importante *es* la comodidad. Debería usted ser capaz de liberarse de mente y cuerpo para concentrarse en el ejercicio en curso. Si al principio no le resulta cómoda ninguna de las posturas, siéntese sobre los talones, en un cojín o busque simplemente una silla de respaldo rígido.

Preparación: 1 Siéntese con las piernas rectas, los brazos apoyados a la espalda. Acerque la rodilla izquierda al cuerpo y eleve el talón, cargando el peso sobre la punta del pie. Teniendo como eje el pie, gire la rodilla hacia la izquierda y hacia el suelo, la parte interior del talón empujando hacia delante, la rodilla paralela al suelo.

2 Baje el cuerpo por la pierna derecha, estirada. Repita, acercando la rodilla derecha al cuerpo. Repita, usando ambas piernas de forma simultánea.

Loto completo: 1 Estire las piernas adelante, los brazos a los lados. Tire primero del pie izquierdo y luego del derecho hacia el cuerpo, de forma que queden los talones alineados, las rodillas contra el suelo y las caderas relajadas. Ponga las manos en la cuarta postura de manos del loto. *Respiración completa.*

2 Agarre el pie derecho, los pulgares en el empeine y el dorso de las manos mirando al frente. Ponga el pie sobre la parte de atrás de la pantorrilla izquierda. Ponga las manos en la postura del loto. *Respiración completa.*

3 Coja el pie derecho con las dos manos, los pulgares en el empeine (en el tobillo si el pie está rígido), y póngalo sobre la parte trasera del muslo izquierdo. Baje la rodilla derecha presionando con la mano derecha sobre el músculo que va de la ingle al extremo de la rodilla. Ponga las manos en la postura del loto. *Respiración completa.*

4 Apoye la mano derecha a la espalda e inclínese hacia atrás para soltar el pie izquierdo. Alcelo sobre la pierna derecha hasta el muslo. Ponga las manos en la postura del loto. *Respiración completa.* Repita, cambiando de lado. **Loto avanzado:** se aprietan las rodillas mediante una flexión hacia afuera de los talones.

Dolores, molestias y otros males

Sinusitis y catarro

Problema. Las flemas, catarros, la excesiva mucosidad y la obstrucción de los senos nasales son signos de un sistema que está seriamente obstruido. A menudo estas condiciones van acompañadas de fuertes dolores de cabeza.

Soluciones. Estos ejercicios respiratorios son de gran ayuda. Si se utilizan de forma regular y cuidadosa, acompañados de una dieta saludable, pueden purificar todo el sistema corporal. Averigüe cuál le viene mejor y practique la técnica todos los días, convirtiéndola en la piedra angular de sus sesiones.

Todos los ejercicios de arquear la espalda, como el arco (véase pág. 43) y la cobra (véase pág. 42), son muy beneficiosos, pues ayudan a despejar los conductos nasales. Evite los movimientos hacia delante si le causan molestias.

Nota. Suénese la nariz suavemente varias veces antes de comenzar los ejercicios respiratorios.

Respiración purificante: 1 Siéntese en una de las posturas del loto (véase pág. 37), en el suelo o en una silla, con la espalda y el cuello rectos del todo. Relaje el estómago y el diafragma.

2 *Inspire. Espire* mucho más rápido que inspira, contrayendo con fuerza el abdomen y el diafragma, como si formaran un fuelle.

3 *Inspire* nada más expulsar el aire, relajando abdomen y diafragma. Repita la rápida sucesión de inspiración y espiración 10-20 veces. Luego respire lentamente. Relájese unos minutos antes de comenzar el siguiente ejercicio.

Respiración nasal alterna: 1 Sentado en una de las posturas del loto, apriete suavemente con el pulgar derecho la parte derecha de la nariz, hasta el extremo de la *órbita del ojo*, el resto de los dedos extendidos horizontalmente frente al rostro. *Inspire* por la ventana nasal izquierda 1-10.

2 Tape las dos ventanas nasales formando un puño. Contenga la respiración 1-10.

3 Suelte el pulgar, manteniendo el resto de los dedos apretados contra la ventana nasal izquierda. *Espire* 1-10 por la ventana nasal derecha. Repita 1-3, 5 veces.

4 Apriete con el pulgar izquierdo ese lado de la nariz, hasta el extremo de la órbita, el resto de los dedos extendidos frente al rostro. *Inspire* 1-10 por la ventana nasal derecha.

5 Tape las dos ventanas nasales cerrando la mano en un puño. Contenga la respiración 1-10.

6 Suelte el pulgar, manteniendo el resto de los dedos apretados contra la ventana nasal derecha. *Espire* 1-10 por la ventana nasal izquierda. Repita 4-6, 5 veces.

Irritaciones de garganta

Cuando tenga usted la garganta irritada o un fuerte resfriado puede practicar todos estos ejercicios, que le aliviarán de forma casi inmediata. La serie de ejercicios de suave masaje está pensada para estimular la circulación de sangre a la garganta, aliviando las áreas afectadas.

Nota. Dé el masaje con cuidado. Lo único que se necesita es una presión muy suave con los dedos o pulgares, como describiendo círculos.

Relajación de la garganta: 1 Trague saliva suavemente para relajar la garganta.

2 Relaje la lengua, asegurándose de que no toca el paladar.

3 *Inspire* 1-5, por la nariz si es posible, sintiendo cómo el aire fresco relaja la parte posterior de la garganta, el pecho y los pulmones.

4 *Espire* 1-5, sintiendo cómo el aire tibio suaviza la garganta y expulsa las impurezas de su interior.

5 Repita 1-6 veces.

León: 1 Siéntese sobre los talones en una de las posturas del loto (véase pág. 37) con las palmas en las rodillas.

2 *Inspire* hondo, por las ventanas nasales, si le es posible.

3 *Espire* con un rugido, la lengua totalmente sacada.

4 Repita 5-10 veces.

Variante del león: 1 Elija una de las posturas del loto (véase pág. 37).

2 Balanceándose ligeramente atrás y adelante, levántese sobre las rodillas.

3 Eche las manos hacia delante, bajo los hombros. *Inspire* por la nariz 1-10, bajando las caderas hacia el suelo, la cabeza arqueada hacia atrás y los codos ligeramente doblados y acercados a la cintura.

4 *Espire* en un rugido, la lengua sacada.

5 Repita 5 veces.

Sol: 1 Elija una de las posturas del loto (véase pág. 37).

2 Suba los brazos y crúcelos, poniendo las manos en los hombros opuestos, con los codos frente al cuerpo. *Inspire* 1-10, arqueando cabeza y cuello hacia atrás y alzando los codos por encima de la cabeza.

3 Manténgalo 1-10.

4 *Espire* 1-10, volviendo a la postura erguida del loto, con el dorso de las manos sobre las rodillas, los dedos relajados. Repita 1-5 veces.

Variante del sol: 1 Siéntese sobre los talones, las rodillas y los pies juntos.

2 Apriete las palmas entre sí sobre el plexo solar, las muñecas siguiendo la línea natural de la caja torácica.

3 Repita el ejercicio respiratorio del sol, descrito anteriormente.

Hoja: 1 Saque la lengua y dóblela en forma de tubo.

2 *Inspire* 1-10 suavemente por la lengua.

3 Relaje la lengua y devuélvala a su sitio, trague saliva y pegue la barbilla al pecho durante 1-10. Suelte la barbilla. *Espire* 1-10.

4 Repita 5-10 veces, sintiendo cómo el aire fresco suaviza la garganta.

Variante de la hoja: 1 Túmbese boca abajo con las piernas juntas y los brazos a los lados.

2 Curve el cuerpo como en la cobra (véase pág. 42).

3 Repita el ejercicio respiratorio de la hoja, descrito anteriormente.

Variante A de la cobra: 1 Túmbese boca abajo con la frente sobre el suelo y las piernas separadas 60-90 cm.

2 *Inspire* 1-15, curvando primero la cabeza y luego el torso hacia atrás, hasta la postura de la cobra (véase pág. 42).

3 Mantenga la postura curvada con ayuda de las manos, y *espire* 1-15 por la boca, con la lengua recta y sacada del todo, sobre la barbilla.

4 Deje caer al suelo el torso, y luego la barbilla y la frente.

5 Repita 5 veces.

Variante B de la cobra: 1 Repítalo todo como en la variante A, pero con las piernas juntas. Los hombros deben estar echados para atrás, el pecho hinchado y los codos ligeramente doblados hacia la cintura en la postura máxima para ambas variantes.

2 Repita 5 veces.

3 Relájese con los brazos extendidos paralelos al cuerpo, las palmas hacia arriba, los codos doblados hacia afuera, la cabeza hacia un lado y los ojos en reposo.

Masaje de garganta: 1 Gire la cabeza ligeramente a la derecha, haciendo que sobresalga el músculo que une la oreja y el extremo del esternón. Con la yema de uno de los pulgares, ejerza una ligera presión sobre la parte interior del músculo, en sentido descendente. Gire la cabeza hacia la izquierda y repítalo.

2 Frote y masajee suavemente la tráquea, de arriba (bajo el centro de la barbilla) a abajo (en la base de la garganta). Repita varias veces.

3 Golpee suavemente con los dedos rectos la tráquea y a los lados.

4 Aplique un masaje con los dedos de las dos manos bajo la barbilla, descendiendo hasta más allá de la garganta.

Sabañones

Problema. La mala circulación de la sangre en las manos y pies es la causa fundamental de esta irritante molestia invernal que afecta a gente de todas las edades.

Solución. Estos ejercicios están pensados para ayudar a mejorar la circulación. El mejor momento para practicarlos es el verano, antes de que las molestias de los sabañones empiecen a dificultar los movimientos. Pruebe también con el movimiento en cuclillas (véase pág. 29) y con la primera postura erguida (véase pág. 44).

Modelo de respiración. He procurado dar las mínimas directrices posibles en esta serie, ya que me parece mucho más importante el *sentir* los estiramientos en su momento. Se puede hacer la respiración completa en **9**.

Nota. Si le resulta difícil guardar el equilibrio en **7-9**, pruebe apoyándose en una pared.

Estiramiento de pie y tobillo del loto: 1 Siéntese con las piernas rectas. Ponga las manos, con las palmas hacia abajo, justo detrás de la espalda.

2 Con el talón levantado, lleve el pie derecho contra el cuerpo, apoyando el cuerpo erguido en los brazos.

3 Alce las caderas, cargando el peso sobre las puntas de los dedos. La rodilla derecha debe estar justo encima del tobillo derecho, el talón todavía levantado.

4 Gire la punta del pie derecho hacia afuera, echando la rodilla a un lado, mientras se inclina hacia delante, con los hombros encogidos y las manos bien juntas tras la espalda. Siéntese detrás del talón levantado.

5 *Inspire* y *espire*, tirando del cuerpo y la cabeza hacia delante e inclinándose sobre la pierna recta hasta unir los dedos bajo el arco plantar o en torno al tobillo. La barbilla separada del pecho.

6 Repita **1-5**, con la pierna izquierda.

7 Repita la serie, llevando ambos pies a la vez hacia el cuerpo, relajando las caderas y empujando las rodillas contra el suelo. Siéntese erguido con los talones levantados y las puntas de los pies tocándose, las manos apoyadas a la espalda.

8 Agarre los tobillos levantados y empuje las caderas hacia abajo, al suelo detrás de los pies.

9 Manténgase en equilibrio en el estiramiento máximo, con las manos juntas frente al plexo solar (en la primera postura de manos del loto). *Respiración completa.*

Dolores de pecho

Problema. Un porte cargado de espaldas o desgalichado puede afectar no sólo a todo su aspecto personal, sino también, y mucho, a la salud de su cuerpo. El asma y la bronquitis están sin duda ligados a las malas posturas, y el envejecimiento prematuro (así como otros muchos trastornos internos) puede venir causado por la compresión de los órganos internos. La sangre deja de circular con normalidad y ya no puede realizar de forma efectiva su labor de renovación de las células viejas y de eliminación de las toxinas.

Solución. Todos estos ejercicios son excelentes correctores. También puede contribuir a la mejoría caminando con el cuerpo recto, manteniendo los hombros arriba. No los tense. El apartar el peso de las caderas tonifica su cuerpo y mente.

Modelo de respiración. Normal (véase pág. 17), pudiendo hacer la respiración completa en las posturas máximas.

Nota. Estos tres ejercicios pueden también practicarse de pie. Termine con la relajación de la región lumbar (véase pág. 44, el alivio instantáneo).

Cobra: 1 Túmbese boca abajo, la frente en el suelo, con los tobillos, rodillas y caderas contraídos. Coloque las manos a ambos lados de la cabeza, de tal forma que las líneas que trazáramos de codos a muñecas fueran paralelas. Los dedos deben estar extendidos del todo.

2 *Inspire* 1-10, curvando hacia atrás la cabeza, y luego hombros, pecho y costillas. Los ojos señalan el movimiento de la cabeza, arriba y atrás, mientras los antebrazos permanecen rectos sobre el suelo. *Espire* 1-10. *Respiración completa*. Déjese caer al suelo.

3 Deslice las manos hacia atrás, elevando los codos por encima de las muñecas, y repita **2**. Repítalo con las piernas abiertas 60-90 cm. Mantenga los hombros encogidos hacia atrás y los codos ligeramente doblados hacia la cintura.

4 Con las manos colocadas como en **3** y las piernas separadas, elévese sobre las puntas de los pies y repita el arqueo de la cobra, con las caderas en el suelo. *Respiración completa*. Deje caer al suelo las costillas, el pecho, la barbilla, la frente y por fin los dedos de los pies.

5 Repita el arqueo de la cobra con las piernas juntas y usando las puntas de los pies. Si puede, levante los muslos del suelo. *Respiración completa* en la postura máxima. Déjese caer al suelo.

6 Con las piernas juntas o separadas, arquéese hasta la cobra plena, elevando los pies hasta la cabeza o los hombros. *Respiración completa* en la postura máxima, y luego déjese caer al suelo con la cabeza a un lado, los hombros relajados y los brazos a los lados, con los codos ligeramente doblados y las palmas hacia arriba.

Modelo de respiración. Normal (véase pág. 17). No es posible la respiración completa.

Nota. Si **1** le resulta difícil, inténtelo agarrando el pie con una sola mano.

Arco: 1 Túmbese boca abajo, la barbilla en el suelo. Doble la pierna derecha y enlace las manos por encima de los dedos del pie, los pulgares en el arco plantar. *Inspire* 1-5 y *espire* 1-5, tirando del pie hacia el final de la espalda. Repita con el pie izquierdo.

2 Doble la pierna derecha y enlace las manos sobre los dedos de los pies. *Inspire* 1-5, empujando el pie derecho adelante y arriba, hasta que los brazos queden totalmente estirados. *Espire* 1-5, bajando la pierna. Repita con el pie izquierdo.

3 Repita **2**, curvando la cabeza y los hombros hacia atrás al inspirar. Repita **1-2** con las dos piernas a la vez, y empezando con las piernas separadas. Repita con las piernas juntas.

Navaja: 1 Túmbese boca abajo, la barbilla en el suelo, y enlace las manos tras la espalda, con los índices extendidos. *Inspire* 1-10, elevando los brazos y llevándolos al frente. *Espire* 1-10, bajando los brazos a los lados. Relájese, la cabeza ladeada.

2 Siéntese en los talones, con los brazos a los lados. Enlace las manos a la espalda, los índices extendidos. *Inspire* 1-10, elevando los brazos e inclinando el cuerpo y los brazos hasta que la barbilla quede en el suelo. *Espire* 1-10, bajando los brazos. Relájese.

3 Sentado con las piernas rectas, repita **2**, flexionando los pies hacia dentro al estirarse al frente y posando la barbilla en las rodillas. Sentándose con las piernas rectas abiertas, repita **2**, bajando la barbilla al suelo y flexionando de nuevo los pies hacia arriba.

4 Siéntese con las piernas rectas, los brazos a los lados. Doble suavemente la pierna derecha a un lado y atrás hasta que el pie quede junto a la cadera derecha. Enlace las manos tras la espalda, los índices extendidos del todo.

5 *Inspire* 1-10, inclinándose hacia delante hasta que queden los brazos sobre la cabeza y la barbilla toque la pierna izquierda o el suelo. *Espire* 1-10 en la postura máxima e incorpórese relajado. Repita **4-5** cambiando de lado. Repita con las dos piernas dobladas, sentado entre los talones.

6 En pie, con las piernas separadas unos 60-90 cm., enlace las manos tras la espalda, los índices extendidos, e *inspire* 1-10. *Espire* 1-10, inclinándose hasta quedar entre las piernas. Incorpórese. Repita con las piernas juntas.

Dolor de espalda

Problema. Una mala postura es causa de molestias de espalda, en especial de hernias discales y lumbago (véase pág. 42, para otras consecuencias).

Alivio instantáneo. Un fuerte dolor de espalda puede a menudo dificultar el ejercicio. Esta sencilla técnica de relajación puede suponer un buen alivio. Túmbese boca abajo, la cabeza ladeada y los brazos a los lados, con los codos ligeramente doblados y las palmas hacia arriba. *Inspire* 1-20, hinchando el estómago y relajando la región lumbar; manténgalo 1-20 y *espire* 1-20. Relájese. Repita durante 2-3 minutos.

Soluciones. Todos estos ejercicios fortalecerán los músculos que rodean las vértebras, impidiendo así las hernias discales y curando el dolor de espalda. El colgarse con los brazos de una barra o dintel unos minutos al día es también un modo excelente de expulsar las tensiones vertebrales ocultas.

Modelo de respiración. Normal (véase pág. 17), pudiendo realizar la respiración completa en la primera postura erguida.

Nota. Si le resulta difícil guardar el equilibrio, puede practicar **1-3** de la primera postura erguida apoyándose en una silla (véase pág. 60).

Primera postura erguida: 1 Permaneciendo en pie con las piernas juntas, ponga la palma derecha sobre el muslo derecho, y sobre ella la palma izquierda. *Inspire* 1-10, enderezando la columna.

2 *Espire* 1-10, proyectando hacia atrás la pierna izquierda y cargando el peso por igual sobre los dos pies, las manos posadas todavía sobre el muslo derecho. Ahora la pierna derecha está doblada y la izquierda se apoya en la punta del pie.

3 Vuelva a respirar a ritmo natural, y, manteniendo el cuerpo en escuadra y a la misma altura, junte las manos (con los pulgares cruzados) sobre el plexo solar. Levante y baje el talón derecho 3-6 veces.

4 Estando todavía en equilibrio con la pierna derecha en ángulo recto con el cuerpo, *inspire* y *espire*, alzando las muñecas hasta posarlas sobre la coronilla, las manos juntas. *Respiración completa.*

5 *Inspire* y *espire*, los brazos estirados del todo sobre la cabeza, las manos juntas. *Respiración completa.*

6 Baje los brazos al muslo derecho como en **2**. Inclínese hacia delante, luego arriba y de nuevo apóyese en los dedos del pie izquierdo, arrastrando la pierna izquierda hasta la posición inicial. Repítalo para el otro lado.

Cigarra. Túmbese boca abajo, la barbilla en el suelo, los dedos enlazados y los pulgares extendidos, o con las palmas sobre el suelo. Junte las caderas y contráigalas hacia abajo. *Inspire* y *espire*, elevando piernas y caderas. Baje las piernas y relájese, los brazos a los lados. Repita 3 veces.

Gato. Póngase a cuatro patas, el cuerpo formando ángulo recto con piernas y brazos. *Inspire* 1-10, hundiendo la espalda y curvando la cabeza hacia arriba y atrás. *Espire* 1-10, contrayendo cabeza y caderas y arqueando la espalda. Mantenga siempre los brazos totalmente rectos. Repita 3 veces.

Abrazo. Túmbese boca arriba y ponga las rodillas sobre el pecho. Ciñendo las piernas, mézase suavemente a un lado y a otro, mientras empuja la región lumbar contra el suelo. *Inspire* y *espire*, alzando la frente y luego la barbilla hasta tocar las rodillas; repita 6 veces.

Estreñimiento

Problema. Una parte importante de sus causas radica en una dieta incorrecta y en la falta de ejercicio. Lo que no se admite tan a menudo es que el *stress,* o las depresiones, pueden afectar a la forma en que llevamos a cabo una dieta armónica o un programa de ejercicio.

Soluciones. Practique alguno de estos ejercicios 10 veces al día y trate también de dar un paseo para refrescar los pulmones todos los días. Varios de mis alumnos consiguieron curar la colitis, que es una consecuencia de un fuerte estreñimiento. El programa de ejercicios para ello es el mismo, añadiendo además el pino (véase pág. 49), el clavo (véase pág. 48) y la postura durmiente.

Postura durmiente. Para quienes resulte imposible el realizar estos ejercicios, es una alternativa útil. Siéntese entre los pies y túmbese con los brazos sobre la cabeza. Ponga las manos bajo la cabeza y haga varias **respiraciones rugientes:** *inspire,* relajando el estómago, y *espire,* contrayendo fuertemente el estómago y los órganos genitales. Siga mientras pueda hacerlo con comodidad. Si esta posición le resulta difícil, túmbese boca arriba con las rodillas levantadas y los pies separados.

Contracción abdominal. Póngase de pie con las piernas separadas 60-90 cm., los brazos a los lados. Doblando las rodillas, inclínese hacia delante y empuje las manos contra los muslos, con los dedos hacia dentro. *Inspire* 1-10 y *espire* 1-10. Contraiga los músculos abdominales e inguinales, manteniéndolos así 5-10, y luego relájelos. *Inspire* 1-10 y *espire* 1-10. Repita 1-10 veces.

Ondulación de los músculos abdominales. Prepárese como en la contracción, e *inspire* 1-10 y *espire* 1-10. Contraiga la zona abdominal hacia la columna. Relaje los músculos laterales y empuje hacia afuera el músculo abdominal central. Manténgalo 1-10. Relájese. *Inspire* 1-10 y *espire* 1-10. Repita 1-10 veces.

1 Repita la contracción o la ondulación abdominal 1-10 veces, sentado en una silla, con los pies separados y presionando con las manos los muslos o las rodillas.

2 Repita la contracción o la ondulación abdominal 1-10 veces, bien sobre los talones y con los dedos de los pies superpuestos o bien sentado entre los pies, presionando con las manos los muslos o las rodillas.

3 Repita la contracción o la ondulación abdominal 1-10 veces en la postura del arado (véase pág. 47) o del clavo (véase pág. 48), las manos en todo momento sosteniendo la espalda.

4 Repita la contracción o la ondulación abdominal 1-10 veces en cualquiera de las posturas del loto (véase pág. 37), con las manos presionando los muslos o las rodillas.

Vigile su peso

Problema. Cuando uno se halla sometido a un exceso de trabajo y cansado (o con demasiado tiempo libre y aburrido) es muy fácil tratar de recuperar las energías perdidas comiendo más de lo necesario. Y, a un nivel más fisiológico, se sabe que la acción del tiroides está directamente relacionada con el control del peso y el estado general de juventud.

Soluciones. Estas posturas clásicas del yoga tienen un tonificador efecto físico y mental. La flexibilidad de la columna vertebral, esencial para gozar de buena salud, queda restaurada y protegida, y la compresión ocasionada por las posturas de inversión (o cabeza abajo) ocasiona un incremento del flujo sanguíneo que beneficia al tiroides.

Ventajas colaterales. Estos ejercicios evitan el envejecimiento al aumentar el aporte de sangre a la cara. También alivian los problemas menstruales y de estreñimiento.

Modelo de respiración. Normal (véase pág. 17).

Nota. Trate de atemperar su apetito tomando un baño tibio, relajado, y practicando unos 10-15 minutos antes de la comida. De este modo usted comerá más despacio y con más fruición.

Importante. Lea el «Cuidado con la salud» de la página 12.

El arado: 1 Ponga una silla donde pueda alcanzarla con comodidad, como se muestra. Túmbese boca arriba con las piernas juntas, estiradas, y los brazos a los lados. *Inspire* 1-5, echando los brazos hacia atrás por encima de la cabeza hasta tocar la silla, y elevando las rodillas, con los pies juntos.

2 *Espire* 1-5 y, apoyando los brazos (con las palmas para abajo) a los lados, alce los pies hasta estirar las piernas y luego alce las caderas y el torso, prosiguiendo el movimiento hasta que los pies reposen en el asiento.

3 *Inspire* 1-5 y *espire* 1-5, sosteniendo la espalda con las palmas de las manos. El torso debería estar perpendicular al suelo, si es posible.

4 *Inspire* 1-5 y *espire* 1-5, bajando el pie derecho al suelo, junto a la silla, sin dejar de sostener la espalda. *Inspire* 1-5, devolviendo el pie al asiento.

5 *Espire* 1-5, bajando al suelo el pie izquierdo. *Inspire* 1-5, devolviendo el pie al asiento.

6 *Espire* 1-5, bajando al suelo ambos pies a la vez. *Respiraciones completas.* Suba los dos pies a la vez a la silla. Empujando con las palmas contra el suelo, baje lentamente el cuerpo hasta la posición inicial.

Modelo de respiración. Normal (véase pág. 17).

Clavo: 1 Túmbese boca arriba, los brazos a los lados, con las caderas entre las patas delanteras de la silla, y los pies y la parte baja de las piernas sobre el asiento. Agarre las patas delanteras de la silla e *inspire* 1-5.

2 *Espire* 1-5, enderezando las piernas por encima de la cabeza y luego (acercando la silla a la espalda como apoyo y subiendo lentamente las manos por las patas de la silla) baje suavemente las piernas hasta que los pies toquen el suelo tras la cabeza.

3 *Inspire* y *espire*, doblando las rodillas sobre la frente. Los pies deben estar alineados justo encima de las rodillas; los tobillos, rodillas y caderas apretados.

4 *Inspire* 1-5, arqueando hacia atrás las caderas contraídas y subiendo las rodillas hasta que el torso y la parte superior de las piernas queden en línea, cargando el peso sobre los hombros. Los pies deben quedar colgando hacia el asiento y la barbilla pegada al pecho.

5 *Espire* 1-5, subiendo los pies, que estaban relajados, hasta que las piernas queden estiradas del todo en el clavo. *Respiraciones completas.*

6 *Inspire* 1-5 y *espire* 1-5, bajando la pierna derecha recta hasta que los dedos toquen el suelo, detrás de la cabeza. *Inspire* 1-5, subiendo la pierna derecha de nuevo al clavo. *Espire* 1-5, repitiéndolo con la pierna izquierda. *Espire* al culminar el clavo.

7 *Inspire* 1-5 y *espire* 1-5, bajando los dos pies a la vez al suelo, los pies separados y en línea con los hombros.

8 *Inspire* 1-5 y *espire* 1-5, doblando las rodillas hacia dentro hasta que toquen el suelo, junto a los hombros. *Respiración completa. Inspire,* estirando las piernas y *espire,* abrazando las rodillas por detrás para volver a doblarlas hacia dentro como antes.

9 Empuje la silla lentamente hacia su posición inicial mientras sube las rodillas y baja suavemente las piernas hasta la postura de origen. Descanse con los brazos muertos, las palmas hacia arriba, y vuelva a su ritmo natural de respiración.

Esta serie de ejercicios **yoga-tónicos,** de pies a cabeza, deberían ir acompañando a la fórmula para la vigilancia del peso descrita en las páginas 47-48, y valen para gente de todas las edades. Si no puede usted hacer el loto del árbol o el de la cigüeña, limítese a realizar el loto completo de la cigüeña con las piernas juntas.

Ventajas colaterales. Las posiciones de equilibrio le ayudan a mejorar su porte y su postura. La práctica regular contribuye también a acabar con los calambres y la mala circulación.

Modelo de respiración. Normal (véase pág. 17).

Nota. Si le resulta difícil mantener el equilibrio, pídale a alguien que le sostenga, o inténtelo apoyándose en una pared.

Pino: 1 Siéntese en los talones, con los brazos a los lados, e *inspire. Espire,* inclinando hacia adelante la cabeza y el torso, poniendo las palmas perpendiculares a las rodillas. Suba las caderas, apoyándose en la punta de los pies, y siga inclinándose hasta tocar el suelo con la coronilla.

2 Cargando el peso del cuerpo sobre las manos, *inspire* y empiece a enderezar las piernas hasta que las rodillas estén sobre los codos. *Espire,* doblando de nuevo las rodillas y subiendo los pies hacia los muslos.

3 Lleve las rodillas hacia las axilas. *Inspire,* curvando la espalda y subiendo las rodillas, con los pies pegados a las nalgas, hasta que las rodillas estén justo encima de la cabeza.

4 *Espire,* estirando las piernas hacia arriba hasta hacer el pino. Relaje pies y piernas para permitir que la sangre fluya libremente. *Respiraciones completas.*

5 *Inspire* y *espire,* doblando las rodillas para bajar los pies hasta las nalgas.

6 *Inspire* y *espire,* siguiendo con el movimiento de encogerse bajando las rodillas hasta posarlas en la parte superior de los brazos.

7 Vuelva a la respiración natural durante **7-9.** Baje al suelo pies, rodillas y caderas. Sobre los talones, siga inclinado hacia adelante. Poniendo los codos frente a las rodillas, pose los pulgares sobre las órbitas y relájese para evitar mareos.

8 Incorpórese lentamente hasta la postura erguida, con una mano sobre la otra, las palmas hacia arriba, y las puntas de los pulgares en suave contacto durante unos minutos.

9 Déjese caer hasta la postura de reposo, tumbado boca arriba con las piernas y los brazos puestos de forma cómoda y los ojos cerrados.

Continuación del yoga-tónico

Modelo de respiración. Se puede hacer la respiración completa al terminar cada una de las fases del ejercicio.

Loto del árbol: 1 Póngase en pie con las piernas juntas y los brazos a los lados. Junte las palmas sobre el plexo solar. Alce el talón derecho y empuje con la punta del pie contra el talón izquierdo. *Respiración completa.*

2 Arquee el pie derecho sobre los dedos, echando el talón hacia adelante y apoyándose en la pierna izquierda recta. Alce las manos hasta la coronilla, echando los codos hacia atrás. *Respiración completa.*

3 Suba lentamente el pie derecho por la pierna de apoyo, hasta que el talón quede encajado en la ingle, en la postura del loto del árbol, bajando los brazos a la altura de los hombros, las palmas empujando hacia fuera. *Respiración completa.* Repita, subiendo la pierna izquierda.

Medio loto de la cigüeña: 1 De pie con las piernas juntas, los brazos a los lados. Cruce el pie derecho sobre el izquierdo, presionando sobre la punta del pie derecho, el talón levantado. Gire la rodilla derecha hacia fuera y junte las palmas sobre el plexo solar. *Respiración completa.*

2 Arquee el pie derecho sobre los dedos, subiendo las manos hasta la coronilla. Los codos deben estar echados hacia atrás. *Respiración completa.* Baje los brazos a los lados.

3 Sosteniendo el pie derecho con las dos manos, los pulgares sobre el empeine, súbalo hasta el muslo de la pierna de apoyo, la izquierda, el talón sobre la ingle y mantenga el equilibrio con los brazos estirados del todo sobre la cabeza (las palmas juntas) o a la altura de los hombros, las palmas hacia afuera. *Respiración completa.* Repita, levantando la pierna izquierda.

Continuación del yoga-tónico

Modelo de respiración. Normal (véase pág. 17). No es posible la respiración completa.

Loto entero de la cigüeña: 1 Siguiendo a partir del medio loto de la cigüeña, postura **3,** junte las manos sobre el plexo solar e *inspire.*

2 *Espire,* doblando cabeza y torso hacia abajo hasta poner las manos, con las palmas hacia abajo y los dedos para atrás, a los lados de la pierna de apoyo, la izquierda.

3 *Inspire,* agachándose hasta quedar en equilibrio sobre el talón de apoyo izquierdo, con el pie derecho posado encima del muslo izquierdo y los brazos a los lados, apoyándose en las puntas de los dedos.

4 *Espire,* sentándose en el pie izquierdo, el pie derecho aún cruzado sobre el muslo izquierdo y las manos sobre las rodillas, las palmas para abajo.

5 *Inspire,* deslizando los brazos hacia delante, la barbilla mirando al suelo. Las manos deben quedar en línea con los hombros.

6 *Espire,* alzando las caderas hasta que el cuerpo quede perpendicular a los miembros de apoyo, apoyando sobre las manos y rodillas. El pie derecho está ahora frente a la rodilla izquierda o sobre el muslo izquierdo.

7 Todavía espirando, baje el cuerpo a tierra, empezando por las caderas. *Inspire,* arqueando hacia atrás la cabeza y el torso, hasta la cobra (véase pág. 42).

8 *Espire,* presionando el suelo con la punta del pie izquierdo, y cambiando de caderas, vuelva a la postura agachada de **3,** «andando» con las manos hacia atrás. Descanse con la frente entre las rodillas y las manos, con las palmas para abajo, posadas a los lados.

9 *Inspire,* venciendo el cuerpo hacia delante y empujando las manos hacia abajo para enderezar la pierna izquierda y subir las caderas, incorporándose hasta la postura inicial. *Espire,* bajando la pierna al suelo. Repita subiendo la pierna izquierda. Repita toda la serie 1-10 veces.

Nos hacemos mayores

Envejecimiento de los miembros

Si tiene usted tras de sí un pasado de escaso ejercicio físico es más que posible que la idea de iniciarse en el yoga a una edad media o avanzada le ponga muy nervioso. Sin embargo, si utiliza una pared como apoyo y guía puede usted recobrar la flexibilidad y confianza de que disfrutaba cuando era más joven.
Ventajas. Aumentará la flexibilidad de caderas y cintura con **1-3,** la de las caderas con **4-6** y la de las piernas con **7-9.**

Modelo de respiración. Normal (véase pág. 17).
Nota. No olvide que en todas las fases debe mantener pegada a la pared toda la espalda. Trate de formar ángulos rectos con el torso y los miembros a medida que realiza los distintos movimientos de doblarse y estirarse. Es importante que en todo momento el peso esté distribuido por igual entre ambos pies.

Triángulo: 1 Póngase de pie contra la pared con las piernas abiertas 90-120 cm., los dedos de los pies en línea con los talones y los brazos a los lados. *Inspire* 1-5, enderezando la columna contra la pared.

2 *Espire* 1-5, dejándose caer para la derecha y deslizando la mano derecha hacia abajo hasta la pantorrilla. El cuerpo debe estar recto contra la pared, los pies inmóviles y la barbilla separada del pecho.

3 *Inspire* 1-5, enderezándose. *Espire* 1-5, dejándose caer hacia la izquierda. Repita 6 veces cambiando de lado.

4 Póngase como en **1**. *Inspire* 1-5, subiendo los brazos a la altura de los hombros, las palmas hacia atrás, y girando el pie derecho hasta que quede en línea con el centro del pie izquierdo, que está ligeramente vuelto.

5 *Espire* 1-5, estirándose hacia la derecha y bajando la mano derecha por la pierna, idealmente hasta tocar el suelo tras el pie derecho. La mano izquierda tira de la cadera izquierda hasta que forme escuadra con la pared y la cabeza mira en dirección opuesta al estirado, la barbilla separada del pecho.

6 *Inspire* 1-5, subiendo el brazo izquierdo sobre la cabeza hasta que forme con el derecho una vertical. *Espire* 1-5. *Respiración completa*, mirando hacia el brazo alzado. Enderécese, bajando el brazo izquierdo a un lado. Repita **4-6** estirándose hacia la izquierda.

7 Vuelva a la postura de **4**. Doble la rodilla derecha en ángulo recto, el muslo horizontal y la rodilla encima del tobillo. Abra un poco más las piernas si le hace falta.

8 *Espire* 1-5, estirando el muslo derecho hacia abajo y bajando lentamente la mano desde la rodilla hasta el suelo, tras el pie, mientras que la mano izquierda tira de la cadera izquierda hasta que forme escuadra con la pared y la cabeza mira en dirección opuesta al estirado, la barbilla separada del pecho.

9 *Inspire* 1-5. *Espire* 1-5, deslizando la mano derecha por el suelo, en línea con los dedos de los pies, enderezando la pierna derecha y subiendo el brazo izquierdo hasta formar vertical. *Respiración completa*. Doble la pierna derecha, volviendo a **4**. Repita **7-9**, doblando la pierna izquierda.

Calvicie

El pino recibe a menudo el nombre de «rey de todos los ejercicios del yoga» y sus efectos benéficos son, como cabría esperar, múltiples. Al principio, no obstante, esta postura contribuye a aumentar la afluencia de sangre a la cabeza, y por tanto al cuero cabelludo y al cabello, y así fomenta el crecimiento del cabello mediante la acción de presión y liberación del ejercicio.

Otras ventajas. El pino garantiza la salud y vitalidad tanto del cerebro como de la glándula pituitaria, y alivia el insomnio, la tensión, nervios y ansiedades, tos, amigdalitis, mala respiración, palpitaciones, estreñimiento, asma, bronquitis y mala circulación.

Nota. Mucha gente imagina que el pino está muy por encima de sus posibilidades. No es ni por asomo tan difícil como podría parecer y puede aprenderse a cualquier edad. Como siempre, lo importante es andar con cuidado. Nunca se fuerce más allá de lo que le resulte cómodo.

Importante. Vea el «Cuidado con la salud» de la página 12.

Pino triangular: 1 Siéntese en los talones, los dedos de los pies juntos, rodillas separadas y los brazos a los lados. Incline la cabeza y el torso hacia delante hasta posar los antebrazos en el suelo, los codos tocando las rodillas. *Inspire* 1-5.

2 *Espire* 1-5, bajando la coronilla al suelo, rodeando la cabeza con las manos y alzando las caderas, empujando desde las rodillas, y luego desde las puntas de los pies, el peso cargado sobre las manos, antebrazos y cabeza.

3 *Inspire* 1-5, acercando las piernas al cuerpo, cargando el peso sobre las manos agarradas, y manteniendo la barbilla separada del pecho.

4 *Espire* 1-5, flexionando las rodillas hacia el cuerpo y los talones hacia los muslos, el cuerpo recto ahora desde la cabeza a las caderas, el peso en equilibrio sobre la base triangular de brazos y cabeza.

5 *Inspire* 1-5, arqueando la espalda y alzando las rodillas, con los talones pegados a las nalgas, hasta que queden justo sobre la cabeza. Abra el cuerpo al empujar los codos contra el suelo desde los hombros.

6 *Espire* 1-5, desdoblando las piernas hasta que queden completamente rectas y contrayendo ligeramente las caderas y la caja torácica. *Respiraciones completas.*

7 *Inspire* 1-5 y doble las rodillas, desplazando los talones hacia las nalgas como en **5**.

8 *Espire* 1-5, flexionando las rodillas sobre el pecho y bajando después los pies suavemente al suelo.

9 Volviendo al ritmo de respiración natural, baje las rodillas al suelo y las caderas a los talones. Relájese unos minutos con una mejilla contra el suelo y los brazos a los lados, las palmas hacia arriba. Repita toda la serie 1-5 veces.

Sordera

Todo el mundo padece de sordera, en mayor o menor grado, en algún momento de su vida, así que es reconfortante saber que existen ejercicios que podemos realizar para retrasar su llegada. También es evidentemente razonable evitar ruidos fuertes y constantes, que no hacen sino desgastar el tímpano.

Mantras. Son sonidos que se utilizan en ocasiones como ayuda para aquellos a quienes les resulta difícil meditar. En lugar de practicar la visualización interna de objetos (véase pág. 87) se les recomienda cantar el mantra de su elección, ya sea de viva voz o para sí, como si musitaran una melodía con la respiración. También se le reconocen a esta técnica virtudes físicas, y hay dos mantras especiales ideados para ayudar a oídos, ojos y garganta. Siéntese en una de las posturas del loto (véase pág. 37) o en una silla cómoda y canturree cualquiera de los sonidos que siguen durante 2-3 minutos al día: HAM o HRAH. *Inspire* hondo, y *espire*, con el mantra de su elección, sintiendo la vibración del último sonido.

Péndulo: 1 Póngase de pie con las piernas separadas unos 90-150 cm., los talones ligeramente hacia afuera y los brazos a los lados. *Inspire* 1-5 y *espire* 1-5, doblando la cabeza y el torso hacia abajo y agarrando las pantorrillas para empujar las costillas entre las piernas rectas, la barbilla mirando al suelo. Apriete las palmas entre sí o mantenga los codos tras la espalda. *Respiración completa.*

2 Suelte los brazos y deje caer suavemente la coronilla hasta el suelo, colgando el cuerpo muerto de las caderas entre las piernas con los brazos verdaderamente relajados. *Respiraciones completas.* Incorpórese lentamente, los brazos a los lados. Repita **1-2**, 6 veces.

Bostezo. Póngase de pie con las piernas abiertas 60-90 cm., los brazos a los lados. Estírese sobre los dedos de los pies, subiendo los brazos rectos por encima de la cabeza, y bostece varias veces. Relájese, bajando los brazos a los lados. Repita 6 veces.

Vista cansada

Es sabido que los músculos de detrás de los ojos se deterioran con el paso del tiempo, pero mediante ejercicios regulares cotidianos se puede prolongar la duración de una buena vista y aliviar el cansancio visual. Estos sencillos movimientos de los ojos fortalecen los músculos oculares y al mismo tiempo mejoran su capacidad de concentración. Nadie es demasiado joven para empezar con ellos. La cobra (pág. 42), el arco (pág. 43) y todos los ejercicios de equilibrio son también excelentes para fortalecer los músculos oculares.

Nota. Trate de usar los ojos lo más posible cuando realice otros ejercicios de yoga, siguiendo la línea natural del cuerpo. También contribuye a fortalecer los músculos oculares el practicar sin gafas o lentillas.

Distancia: 1 Siéntese en una silla cómoda, de respaldo recto y sin brazos, en una de las posturas del loto (véase pág. 37) o con los pies a la misma altura, en el suelo. Deje caer una mano al regazo y estire el otro brazo, el dedo índice extendido hacia arriba, a la altura de los ojos.

2 Mírese la nariz, la punta del índice y luego mire lo más lejos que pueda. Invierta el orden: lejanía, punta del dedo, nariz. Cierre los ojos y descanse. Repita 5 veces.

3 Repita 2 con el otro índice extendido, con el brazo estirado y a la altura de los ojos.

4 Repita, cerrando un ojo.

5 Repita, cerrando el otro ojo.

Verticales y horizontales: 1 Siéntese como en el ejercicio anterior, los brazos relajados sobre el regazo.

2 Manteniendo la cabeza quieta al frente, mire a la derecha, frente, izquierda, frente. Repita 5 veces.

3 También sin mover la cabeza, mire arriba, frente, abajo, frente. Repita 5 veces.

Diagonales: 1 Siéntese igual que para distancia, los brazos relajados en el regazo.

2 Mueva los ojos hasta el extremo superior derecho de la órbita, y luego en diagonal, hacia abajo, hasta el extremo inferior izquierdo, y vuelta al superior derecho. Repita 5 veces.

3 Cambie el movimiento, yendo del extremo superior izquierdo hasta el inferior derecho, en diagonal, y viceversa. Repita 5 veces.

Círculos: 1 Siéntese igual que para distancia, los brazos relajados en el regazo.

2 Mueva los ojos en el sentido de las agujas del reloj, dibujando un círculo completo. Repita 5 veces.

3 Invierta el movimiento, dibujando el círculo en el sentido contrario al de las agujas del reloj. Repita 5 veces.

Expansión: 1 Siéntese igual que para distancia, los brazos relajados en el regazo.

2 Cierre los ojos, apretándolos fuerte, y luego ábralos lo más posible, mirando al punto más lejano. Repita 10 veces.

Calentamiento

Estos ejercicios pueden hacerse en condiciones normales y cuando hace frío. Con el mal tiempo es tan importante preparar el cuerpo para el frío como hacer ejercicio. Si es capaz de mejorar su circulación, contribuye usted a protegerse del problema del frío.

Nota. Los ejercicios tendrían que ir acompañados de una dieta debidamente equilibrada de alimentos frescos, incluyendo reconfortantes caldos de verduras.

Respiración de calentamiento: 1 Siéntese cómodamente, ya sea en una silla, una cama o en el suelo, con las manos sobre el regazo, las palmas hacia arriba.

2 *Inspire* 1-3 por la nariz. *Espire* 1-3 por la boca. Repita en rápida sucesión 1-6 veces.

3 Descanse y vuelva a su ritmo natural de respiración.

4 Tres veces al día: al levantarse, al mediodía y antes de acostarse.

Respiración solar: 1 Tape la ventana nasal izquierda con el pulgar izquierdo e *inspire* por la derecha contando hasta 5.

2 Con la ventana nasal izquierda aún tapada, forme un puño con la mano izquierda, tapando la ventana nasal derecha, y contenga la respiración mientras cuenta hasta 5.

3 Suelte los dedos de la mano izquierda y *espire* por la ventana nasal derecha contando hasta 5.

4 Repita toda la serie 1-5 veces.

Masajes de calentamiento de pies. Siéntese en una silla y doble una rodilla, poniendo el pie sobre el muslo contrario. Si le resulta difícil, siéntese en el suelo o en una cama, doblando el pie hacia sí. Realícelo 6 veces cambiando de pie.

Círculos. Agarre el pie derecho con ambas manos y presione muy lentamente los pulgares dibujando pequeños círculos por toda la planta del pie.

«Valles»: 1 Lleve el pulgar y el índice de la mano izquierda entre los espacios interdigitales del pie derecho, es decir, poniendo el índice bajo la planta y el pulgar entre los tendones que van desde la parte superior del pie hasta los dedos.

2 Acabe cada movimiento con un suave pellizco entre los dedos.

Tijera: 1 Ponga recto el dedo gordo del pie con la mano izquierda y el siguiente dedo con la derecha, estire un dedo hacia arriba y otro hacia abajo.

2 Invierta el movimiento de tijera 1-6 veces.

3 Manipule del mismo modo los dedos segundo y tercero, y así sucesivamente, hasta que todos hayan recibido el masaje.

Giro de los dedos de los pies. Coja con el pulgar e índice derechos cada una de las junturas de los dedos del pie derecho y hágalas dar vueltas suavemente con el índice y pulgar izquierdos a un lado y a otro.

Giro de tobillos. Cogiendo el tobillo derecho entre el pulgar y los dedos de la mano derecha, masajee con presión circular alrededor del tobillo con el pulgar y las puntas de los dedos.

Calentamiento de piernas: cruzarse de pies: 1 Túmbese boca arriba, los brazos a la altura de los hombros, las palmas hacia abajo, y ponga el talón derecho entre el dedo gordo y el segundo del pie izquierdo.

2 *Inspire* 1-5 y *espire* 1-5, meciéndose hacia la izquierda y levantando la cadera derecha del suelo.

3 Repita el movimiento de mecerse cambiando de lado 1-6 veces. Relájese.

4 Repita la serie con el talón izquierdo en equilibrio sobre el pie derecho.

Cruzarse de piernas: 1 Túmbese boca arriba, los brazos a la altura de los hombros, las palmas hacia abajo. *Inspire* 1-3, alzando la pierna derecha.

2 *Espire* 1-3, cruzando la pierna derecha sobre la izquierda, y bajándola al suelo a la altura de las caderas o del hombro.

3 *Inspire* 1-3, alzando la pierna derecha.

4 *Espire* 1-3, bajando la pierna derecha a la posición inicial.

5 Repita con la pierna izquierda levantada.

Calentamiento de rodillas A: 1 Tumbado como para los ejercicios de calentamiento de piernas, *inspire* 1-3, doblando la rodilla derecha. *Espire* 1-3, cruzando la pierna derecha, doblada, sobre la izquierda, echando la rodilla hacia el suelo con el pie posado en la parte superior del muslo izquierdo.

2 *Inspire* 1-3, alzando la rodilla y haciendo girar la cadera hasta que quede recta.

3 *Espire* 1-3, abriendo la rodilla derecha, doblada, hacia la derecha, hasta tocar el suelo, manteniendo el pie alejado de la pierna izquierda.

4 Repita 1-6 veces cambiando de lado.

Calentamiento de rodillas B: 1 Siéntese en el suelo o en una cama con las piernas al frente y el cuerpo apoyado en los brazos cruzados en diagonal a la espalda.

2 *Inspire* 1-3, doblando la rodilla derecha.

3 *Espire* 1-3, cruzando la rodilla doblada por encima de la pierna izquierda hasta el lado izquierdo alzando a la vez la cadera derecha.

4 *Inspire* 1-3, volviendo a enderezar la rodilla.

5 *Espire* 1-3, bajando la rodilla derecha al lado derecho.

6 Inspire 1-3, alzando la rodilla derecha.

7 *Espire* 1-3, bajando la rodilla derecha a la posición inicial.

8 Repita 1-6 veces cambiando de lado.

Calentamiento de caderas: 1 Tumbado a derecha, apoye la cabeza en la mano derecha, el codo y la parte superior del brazo en el suelo, y la mano izquierda apoyada frente al plexo solar.

2 *Inspire* 1-3, alzando la pierna izquierda. *Espire* 1-3, bajando la pierna a la posición inicial. Repita 1-6 veces.

3 Volviendo al ritmo natural de respiración, suba la pierna derecha y muévala atrás y adelante hasta tocar el suelo, tanto detrás como delante del cuerpo. Repita 1-6 veces.

4 Repita 1-6 veces cambiando de lado.

Calentamiento corporal. Túmbese boca arriba, los brazos sobre el cuerpo o a los lados, y ondule el cuerpo por el suelo en línea recta con un movimiento de las caderas de un lado a otro. Repita 6 veces, unas veces para delante y otras atrás. Repítalo sentado con las piernas estiradas y las manos sobre los muslos.

Calentamiento de brazos y dedos. Brazos al frente a la altura de los hombros, las palmas abajo. Estire y encoja los dedos cerrándolos en un puño, llegando hasta su cuenta máxima.

Incapacitados

He tenido la satisfacción de enseñar a mucha gente incapacitada y trabajar con ella. Tal experiencia me ha hecho darme cuenta de las posibilidades que tiene el yoga en este campo.

Los ejercicios siguientes se pueden practicar a solas pero, según la seriedad de la lesión, algunos podrían necesitar la ayuda de un compañero. La mayoría de los ejercicios pueden realizarse tanto de pie como tumbado o sentado en una silla. Elija lo que le resulta más adecuado o más cómodo.

Modelos de respiración. En determinados ejercicios he indicado el tipo de respiración que se requiere, basándome en los principios enunciados en la página 17.

Cabeza. Dese golpecitos suaves y rítmicos en la cabeza con las puntas de los dedos durante 2-3 minutos.

Cuero cabelludo: 1 Presione sobre el cuero cabelludo con las puntas de los dedos y describa círculos en sentido circular.

2 Dé masajes de este modo por todo el cuero cabelludo.

Frente. Dese palmadas en la frente con una mano y luego con otra, llevando la palma derecha por la frente de derecha a izquierda, y viceversa. Las palmadas deben ser rápidas.

Cara: 1 Empezando por la frente, trace con las puntas de los dedos pequeños círculos para aflojar los músculos.

2 Repita hasta tratar toda la cara, excepto los ojos.

Cuello: 1 Ponga los pulgares bajo la barbilla y los demás dedos alrededor del cuello, las puntas de los dedos posadas en la base del cráneo. *Inspire* 1-5, levantando los pulgares para, con el estiramiento, expulsar las tensiones del cuello. Manténgalo 1-5.

2 *Espire* 1-5, relajando los pulgares para devolver la cabeza a su posición original.

3 Repita 1-5 veces.

Hombros A: 1 Enlace las manos, con las palmas hacia abajo. *Inspire* 1-5 y estire los brazos hacia delante y luego sobre la cabeza, manteniendo los dedos enlazados (y mirando hacia fuera) y encogiendo los hombros hasta las orejas.

2 *Espire* 1-5, relajando los hombros.

3 Repita la subida y bajada de hombros 1-5 veces, inspirando cuando los hombros estén arriba.

4 Suelte los dedos y baje los brazos uno al lado del otro, una palma sobre la otra, con las puntas de los pulgares en contacto.

5 También puede hacerse con las manos en el regazo, las palmas hacia abajo.

Hombros B: 1 Sostenga el codo derecho con la mano izquierda.

2 Cerrando la mano derecha en un puño, golpee suavemente con ella el hombro izquierdo 5-10 veces.

3 Repita con puño izquierdo en hombro derecho. Procure que la muñeca que se mueve permanezca lo más relajada posible.

Pecho A: 1 Ponga las palmas juntas en el plexo solar. *Inspire* 1-5, girando las manos hasta que los dedos apunten al frente (las palmas aún presionando una contra la otra), separe los brazos y muévalos, a la altura de los hombros, hacia los lados, girándolos luego hasta ponerlos tras la espalda (o la silla, si está sentado), intentando unir las manos. Manténgalo 1-5.

2 *Espire* 1-5, soltando las manos y poniéndolas en el regazo, una encima de la otra, las puntas de los pulgares tocándose.

3 Repita 1-5 veces.

Pecho B. Frótese todo el pecho y caja torácica con las palmas de las manos en breves movimientos de arriba abajo.

Cintura: 1 *Inspire* 1-5, estirando el brazo derecho por encima de la cabeza, la palma hacia el frente, los dedos extendidos.

2 *Espire* 1-5, deslizando la mano nuca abajo.

3 *Inspire* 1-5, enderezando la columna.

4 *Espire* 1-5, estirándose de lado (con el brazo arriba) a la izquierda.

5 *Inspire* 1-5, volviendo a la posición erguida.

6 Repita la serie, estirándose a derecha. Repita los estiramientos laterales alternativamente a un lado y a otro 1-5 veces.

Columna: 1 Siéntese en una silla, las manos en el regazo con el brazo izquierdo arriba. *Inspire* 1-5, enderezando la columna.

2 *Espire* 1-5 y gírese para la derecha, intentando agarrar el respaldo con una o dos manos. Manténgalo 1-5.

3 *Inspire* 1-5, volviendo a la postura inicial.

4 *Espire* 1-5, girando a la izquierda.

5 Repita cambiando alternativamente de lado 1-5 veces.

Caderas. Siéntese con las manos en el regazo. Estire los brazos por encima de la cabeza, intentando agarrar una cuerda imaginaria justo fuera de su alcance, primero con la mano derecha y luego con la izquierda. Respire a ritmo natural.

Espalda. Inclínese hacia delante y dé unos golpecitos muy ligeros por la espalda, arriba y abajo, con la parte inferior de los puños cerrados, con las muñecas relajadas.

Brazos: 1 Cierre el puño derecho y dé golpecitos suaves por la cara interna del brazo izquierdo, subiendo de la palma a la axila y bajando, por fuera, del hombro al dorso de la mano.

2 Repita 1-5 veces cambiando de brazo.

Dedos de manos y pies: 1 Deslice los dedos de la mano derecha hacia arriba entre los dedos del pie izquierdo, empujando la palma contra la planta del pie.

2 Estruje la mano ligeramente. Manténgalo 1-5 segundos.

3 Suelte y repita en el pie derecho con la mano izquierda.

Piernas: 1 Cerrando las manos en puño, dé golpecitos muy suaves por la parte interna de las piernas, hasta los pies.

2 Siga el movimiento hacia arriba, por afuera, hasta la parte superior de los muslos.

3 Repita la serie 1-5 veces.

Respiración de la mariposa: 1 Comience con los brazos relajados a los lados o en el regazo. *Inspire* 1-5, alzando los brazos por los lados hasta arriba de la cabeza, hasta que los dorsos de las manos se toquen.

2 *Espire* 1-10 y baje los brazos hasta la postura inicial.

3 Relájese contando algunas respiraciones a ritmo natural.

4 Repita el ejercicio 1-5 veces.

Esclerosis múltiple

Muchos de los ejercicios de la página anterior darán desenvoltura a su cuerpo y lo tonificarán, y dado que muchos de ellos se pueden practicar de pie, sentado o tumbado, puede preparar un programa de ejercicios que se adapte a sus necesidades.

Estos ejercicios con la silla han demostrado ser de gran provecho en los estadios iniciales de la enfermedad para los alumnos a los que di clases. La silla tiene la evidente ventaja de proporcionar confianza y apoyo. Vea también los sencillos estiramientos corporales descritos al final de la sección de respiración y relajación (pág. 17) y los diversos masajes descritos en las páginas 23 y 61.

Nota. El estado depresivo es frecuente —y resulta bastante comprensible— en los enfermos, así que todos los ejercicios de respiración y meditación expuestos en otras partes del libro serán de gran ayuda.

Navaja: 1 Siéntese en el borde de la silla, las piernas estiradas y juntas y las manos posadas en los muslos. *Inspire* 1-10.

2 *Espire* 1-10, bajando las manos, la cabeza y el torso por las piernas, manteniendo la barbilla alejada del pecho.

Cobra. Repita la navaja **1-2** pero *inspire* 1-10 e incorpórese desde las caderas hasta arquear la cabeza hacia atrás, apoyando las manos a los lados de la silla. *Espire* hasta ponerse erguido. Repita 5 veces, alzando las caderas para que el cuerpo forme una diagonal al completar la cobra.

Medio loto de la cigüeña: 1 De pie, las piernas juntas, de lado a la silla, coja ésta con la mano izquierda. Ponga la punta del pie derecho perpendicular al tobillo izquierdo; el brazo derecho, palma hacia abajo, a altura del hombro. Tuerza los dedos del pie derecho hasta tocar el talón izquierdo.

2 Suba el pie derecho hasta la cara interna del muslo izquierdo, agarrando el pie con la mano derecha y luego equilibrándose con la mano derecha sobre la rodilla derecha. Mantenga la postura con la mano derecha en la postura del loto (véase pág. 62) en el plexo solar.

3 Cruce la pierna derecha hasta ponerla sobre la ingle, con la planta para arriba, metiendo el muslo derecho y sacando las caderas. Relájese hasta la postura del pelele (véase pág. 19), desdoblándose lentamente, y repita **1-3** para el otro lado.

Primera postura erguida: 1 Póngase detrás de la silla, de pie con las piernas juntas, agarrando el respaldo. Doblando ligeramente la rodilla derecha, ponga la punta del pie derecho justo detrás del pie izquierdo. *Inspire* 1-10.

2 *Espire* 1-10, proyectando la pierna derecha hacia atrás, tratando de que el peso quede distribuido por igual sobre los dos pies. Repita **1-2** con la pierna izquierda.

Postura de reposo. Túmbese boca arriba con las piernas sobre el asiento, los brazos lejos del cuerpo y las rodillas justo encima de las caderas. *Respiraciones completas.*

Reumatismo y artritis

Estas series de ejercicios manuales pueden realizarlas tanto jóvenes como viejos. Estire los brazos al frente de forma que codos y muñecas queden alineados a la altura de los hombros. El ejercicio para los sabañones (pág. 41) también servirá para los que tienen reumatismo o artritis en los pies.

Para técnicas más amplias de estiramiento y fortalecimiento corporal, diríjase a los sencillos ejercicios de estiramiento descritos al final de la sección de respiración y relajación (véase pág. 17). Todos ellos le serán provechosos y, probablemente, la mayoría estarán dentro de sus posibilidades.

Nota. Los tres últimos movimientos son tipos de masaje. Hágalos usted solo o pídale ayuda a alguien. Trate de usar, en todos los masajes, un aceite natural como lubricante, del tipo del aceite de oliva o de almendras.

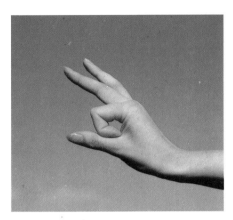

Rizo. Con los dedos separados y estirados del todo, rice el índice hacia dentro, manteniéndolo así con el pulgar recto. Repita sucesivamente con todos los dedos. Repítalo todo 6 veces con cada mano.

Contracción. Apriete entre sí las yemas del índice y el pulgar hasta que el nudillo del índice se doble para dentro. Repita, empujando sucesivamente todos los dedos contra el pulgar. Repítalo todo 6 veces con cada mano.

Abanico. Junte las palmas sobre el plexo solar. Separe lentamente las puntas de los dedos y luego las palmas, echándolas hacia afuera. Siga el movimiento juntando los codos y abriendo las muñecas. Repita 6 veces.

Pez. Ponga una mano encima de otra, las palmas hacia abajo y los dedos totalmente estirados. Gire los pulgares en el sentido de las agujas del reloj y luego al revés. Repita 6 veces.

Ciervo. Rice hacia adentro los dedos medio y anular de la mano derecha, manteniéndolos con el pulgar, mientras estira el índice y el meñique para hacer de orejas. Golpee la cabeza del ciervo con la mano izquierda. Repita 6 veces con cada mano.

Cola de pavo real. Empuje entre sí las puntas del pulgar e índice. Ayudándose con la mano izquierda, monte el dedo medio sobre el nudillo del índice, el anular sobre el medio, y así sucesivamente. Repita 6 veces con cada mano.

Masaje de estiramiento. Usando la mano izquierda, tire del índice derecho suave pero firmemente desde la base hasta la punta, manteniendo el resto de los dedos totalmente estirados. Repita sucesivamente con todos los dedos. Repítalo todo 6 veces con cada mano.

Masaje de «valles». Con los dedos de la mano derecha totalmente rectos, meta el pulgar e índice de la mano izquierda con fuerza por los «valles» que hay entre los dedos, el pulgar sobre la palma y el índice sobre el dorso de la mano. Repítalo todo 6 veces para cada mano.

Masaje circular. Trace círculos con la punta del pulgar izquierdo por toda la superficie de la palma derecha, sosteniendo la mano con el resto de los dedos. Repita el masaje en el dorso de la mano derecha. Repita 6 veces en cada mano.

Esta sencilla representación mímica se inspira en la encantadora flor de loto, que florece sobre un largo tallo verde emergiendo de los torrentes de montaña del Himalaya. Nos ofrece un modo imaginativo y agradable de ejercitar y fortalecer manos, muñecas y brazos.

Baile manual del loto: 1 *Comienza el día del loto en forma de capullo.* Siéntese en una silla con las piernas y las palmas juntas, en la primera postura de manos del loto, sobre el plexo solar.

2 *Así como el sol se eleva, ábrense los pétalos.* Suba lentamente las manos, juntando los codos y separando las palmas a la altura de los hombros.

3 *Hacia el mediodía ya ha abierto el loto su faz completamente a los rayos del sol.* Siga el movimiento de apertura, separando las muñecas pero manteniendo juntos los codos.

4 *Llegan por los pétalos la luz y la fuerza hasta el tallo y las raíces.* Lleve los brazos hacia abajo lentamente, juntando primero las muñecas y luego las puntas de los dedos, hasta curvar hacia afuera las muñecas, apoyadas sobre los muslos.

5 *Una suave brisa cimbrea la planta, a un lado primero...* Deslice con suavidad el brazo derecho hacia arriba y hacia fuera, deslizándose la mano izquierda hacia abajo por el brazo derecho hasta que las puntas de los dedos toquen el codo derecho, formando una diagonal entre las dos muñecas.

6 *...y luego al otro.* Invierta el movimiento, hasta juntar las manos de nuevo, enderezando la cabeza (con la que se seguía el movimiento de manos), y luego repita, deslizando el brazo izquierdo hacia arriba y afuera e inclinando la cabeza a la izquierda.

7 *La brisa puede convertirse en fuerte viento.* Invierta el movimiento y repita otra vez hacia la derecha, cimbreándose aún más. Curvando la palma hacia afuera, enderece el brazo derecho hasta tocar el asiento con las puntas de los dedos, empujando con la palma para hacer un estiramiento al revés.

8 *No importa cuánto se incline la florecilla...* Deslice la mano izquierda hacia abajo por el brazo derecho hasta tocar las puntas de los dedos; inclinándose a la izquierda, deslice el brazo izquierdo hacia arriba y afuera y enderécelo para repetir el estiramiento al revés, como en **7**.

9 *...se las arregla siempre para mantener el control, volviendo a la postura original.* Deslice la mano derecha hacia abajo por el brazo izquierdo hasta que se toquen las puntas de los dedos. Devuelva el cuerpo a la posición erguida, en el centro, con las palmas juntas en el plexo solar.

10 *Muchos pececillos nadan haciendo ochos alrededor de las raíces.* Estire el brazo derecho y ponga la palma sobre el dorso de la mano izquierda, y dibuje figuras en forma de 8 en el aire, a la altura de la rodilla, en el lado izquierdo.

11 *Por todas partes hay pequeños insectos.* Formando con los índices y pulgares un círculo, estire totalmente el resto de los dedos y alce los dos brazos rectos a ambos lados del cuerpo, a la altura de los hombros.

12 *Revolotean sobre la cabeza.* Suba los brazos estirados por encima de la cabeza, enganchando los pulgares y ondeando el resto de los dedos atrás y adelante.

13 *Los insectos contemplan las hermosas flores amarillas.* Baje los brazos y crúcelos, poniendo una muñeca encima de la otra, las palmas hacia arriba, sobre los muslos.

14 *Pájaros de todas clases trinan apaciblemente.* Suba los brazos a ambos lados del cuerpo hasta la altura de los hombros, con los dedos estirados y desplegados y los pulgares tocando los índices.

15 *En ocasiones, algunos pájaros más pequeños se posan a descansar en la flor del loto.* Baje los dos brazos, torciéndolos hacia adentro y luego girándolos hasta posar los dedos desplegados en la parte interior del codo contrario.

16 *Va acabando el día, y los pétalos de la flor se doblan hacia arriba...* Enderece los brazos, alzándolos a la altura de los hombros, a ambos lados del cuerpo y una los dedos, echando las palmas hacia afuera.

17 *...Apretándose para encerrar en su interior las virtudes del día...* Continúe el movimiento de brazos hacia arriba hasta que queden los dorsos de las manos juntos, por encima de la cabeza.

18 *...y descansar apaciblemente hasta el alba.* Baje lentamente los brazos sobre los muslos, posando una mano sobre la otra, las palmas hacia arriba, y los ojos apaciblemente cerrados.

Yoga para el deporte

Puede que parezca curioso el ofrecer una serie de ejercicios de yoga para los deportistas. Nuestros juegos son muy agresivos —compitiendo con nosotros mismos, si no con los demás— y el yoga es, en esencia, no competitivo. De hecho, no obstante, la sosegada dinámica del yoga puede deparar ventajas muy concretas.

Estos ejercicios han sido aprobados por los médicos y se utilizan para ayudar a prevenir, e incluso curar, algunas de las dolencias que amenazan a quienes practican el deporte de forma regular. Constituyen también un excelente estímulo para su tendencia natural a mejorar sus facultades físicas y mentales.

Ventajas especiales. Tortuga: expulsa, mediante el estiramiento, la tensión de columna y piernas, y fortalece los músculos corporales. Cobra y cuervo: fortalecen brazos y piernas. Proyección: mejora el porte, el equilibrio y la concentración.

Nota para los nadadores. Antes de acometer la tortuga, utilice el arado (pág. 47) para estirar la nuca.

Natación: tortuga: 1 Siéntese con las piernas rectas, los pies juntos y los brazos a los lados. Doblando las rodillas, cruce los tobillos (el derecho sobre el izquierdo) y deje caer las piernas hacia afuera, torciendo el pie derecho alrededor del izquierdo, con las manos en los tobillos. *Inspire* 1-10.

2 *Espire* 1-10, meciendo las piernas adelante y atrás hasta que el pie derecho toque el suelo detrás de la cabeza, con las manos agarradas aún a los tobillos.

3 *Inspire*, empujando con el pie derecho para separarse del suelo. *Espire* y, según va la columna tocando el suelo, cuele la cabeza entre las piernas, cerrándola con los pies. Suelte las piernas y descanse tumbado boca arriba con las rodillas dobladas. Baje las rodillas, siéntese y repita 1-10 veces.

Boxeo: cobra: 1 Túmbese boca abajo, los brazos a los lados, las piernas rectas y los pies junto a la pared. Ponga las manos a los lados de la cabeza y «suba» 60 cm. por la pared. *Inspire* 1-10 y estire totalmente los brazos bajo los hombros, arqueando hacia atrás cabeza y torso.

2 *Espire* 1-10, empujando desde los hombros para subir las caderas. Repita, venciendo y subiendo las caderas 1-10 veces (inspirando al vencerse, espirando al estirarse). Doble los brazos y baje por la pared, bajando el cuerpo al suelo. Descanse con los brazos y la cabeza a los lados.

Cuervo. Póngase en cuclillas, los brazos entre las rodillas. *Inspire*, con las palmas en el suelo. *Espire*, inclinándose hacia delante para apoyar los muslos en la parte superior de los brazos. Levante los pies a la vez y manténgalos. Bájelos y descanse, vencido hacia delante. Repita 1-5 veces.

Esgrima: estocada: 1 Póngase de pie con las piernas separadas unos 90-120 cm. Gire el talón derecho perpendicular al pie izquierdo. Suba los brazos a la altura de los hombros, girando la cabeza a la derecha. *Inspire* 1-10, proyectando el cuerpo hasta que la rodilla derecha quede en ángulo recto.

2 *Espire* 1-10, deslizando la mano derecha por detrás de la pierna derecha hasta el suelo, bajando el brazo izquierdo al costado y manteniendo la cabeza erguida y mirando sobre el hombro izquierdo. *Respiración completa*, el peso repartido de forma regular.

3 *Inspire* 1-10, incorporándose a **1.** *Espire* 1-10, girando el torso a derecha, apoyándose en punta del pie izquierdo. Quede en equilibrio con las manos juntas en el plexo solar, subiendo y bajando el talón derecho, el cuerpo a la misma altura. Repita, proyectándose sobre la pierna izquierda.

Ventajas especiales. Loto en cuclillas: mejora el porte y el equilibrio y fortalece piernas y columna. Tracción: reduce la grasa de la cintura, alivia la fatiga y fortalece las articulaciones de tobillos, rodillas y caderas. Paloma: desarrolla·el porte, el garbo y el equilibrio, fortalece los músculos de piernas y brazos y dota a las articulaciones vertebrales de mayor flexibilidad.

Hípica: loto en cuclillas: 1 De pie, apoyado contra una pared, los brazos a los lados y las piernas separadas 60-90 cm. Gire los pies hacia fuera e *inspire* 1-10. *Espire* 1-10, doblando las rodillas, las manos juntas en el plexo solar. *Inspire* 1-10, incorporándose. Repita 5 veces.

2 Junte los talones. *Inspire* 1-10. *Espire* 1-10, doblando las rodillas como en **1**, echándolas hacia fuera y apoyando en las puntas de los pies. Repita 5 veces.

3 Suba el pie derecho, la planta arriba, sobre el muslo izquierdo, los pulgares sobre el arco plantar. *Respiración completa,* con las manos en el plexo. Baje el pie y descanse, sentado en los talones, las manos en el regazo, con palmas arriba y pulgares tocándose. Repita con la pierna izquierda.

Golf o rugby: tracción: 1 De pie con las piernas separadas 60-90 cm. y los brazos a los lados. Deje caer la cabeza y el torso hacia adelante, desde las caderas. De puntillas, «ande» con las manos hacia delante hasta que queden ante los hombros. *Inspire* 1-10, la barbilla separada del pecho.

2 *Espire* 1-10, echando la cabeza hacia los pies, con la barbilla hacia el suelo y los brazos estirados totalmente, empezando desde los hombros. Las piernas deben estar rectas, los talones hacia el suelo. Suba la cabeza y vénzase hacia delante. Repita **1-2,** 5 veces.

3 Repita **1-2** con las palmas giradas hacia fuera, las muñecas tocándose y los pies juntos. Arrodíllese y vénzase hacia delante con la frente en el suelo, los brazos a los lados y las palmas hacia abajo.

Gimnasia: el Señor de la danza: 1 De pie con las piernas juntas y los brazos a los lados. Doble hacia atrás la pierna izquierda y agarre los dedos con la mano izquierda. *Inspire* 1-10, estirando la pierna y el brazo a un lado, lejos del cuerpo, hasta subir el pie a la altura de los hombros.

2 *Espire* 1-10, tirando de los dedos del pie izquierdo hacia este lado, a la altura de la cintura o del hombro, sosteniendo el pie con las dos manos.

3 Coja el dedo gordo del pie izquierdo con la mano derecha e *inspire* mientras sube el brazo izquierdo sobre la cabeza, curvando hacia atrás la cabeza y el torso mientras el brazo izquierdo se dobla bajo el derecho para agarrar el pie. *Espire.* Relájese y repita con la pierna derecha. Repita **1-3,** arrodillándose.

Ventajas especiales. Corva: estira y robustece los músculos, aliviando la rigidez de piernas y caderas, y haciendo más elásticas caderas y columna; también corrige la debilidad de las muñecas. Puente: robustece los músculos del estómago y los muslos, y da mayor flexibilidad a la columna. Arco: mejora la capacidad de concentración y fortalece hombros, brazos y muñecas.

Tenis o squash: estiramiento de corvas: 1 De pie, con los pies separados 60-90 cm. Junte las palmas sobre el plexo solar. *Inspire* 1-10, poniéndose de puntillas, las manos sobre la cabeza. *Espire* 1-10 y relájese, los brazos a los lados. Repita 1-5 veces.

2 Con los pies aún más separados. *Inspire* 1-10. *Espire* 1-10, dejando caer hacia delante el torso y la cabeza, las manos en las corvas. Gire hacia afuera los talones y estírese hacia abajo, tirando las costillas hacia las piernas, la mirada al frente, Incorpórese. Repita 1-5 veces.

3 Aumentando aún más el espacio entre los pies, deslice las manos por las piernas hasta más abajo, y repita **2,** continuando el estiramiento hacia abajo, llevando la barbilla y luego la coronilla al suelo. *Respiración completa.* Incorpórese a la postura erguida. Repita 1-5 veces.

Vela: puente: 1 Túmbese boca arriba, piernas juntas y brazos a los lados. Doble las rodillas hasta que se eleven sobre los tobillos. *Inspire* 1-10, subiendo las caderas, rodillas y tobillos juntos. *Espire* 1-10, bajando al suelo las caderas. Repita 1-5 veces.

2 *Inspire* 1-10, subiendo las caderas. *Espire* 1-10, poniendo las manos al final de la espalda, los dedos hacia fuera. *Respiración completa.* Relájese sobre la espalda, las rodillas dobladas. Repita 1-5 veces. Relájese, tumbado, y lleve las rodillas contra el pecho para mecerse a un lado y a otro.

Camello. Sentado en los talones, con los brazos a los lados. *Inspire* 1-10, subiendo las caderas. *Espire* 1-10, curvando la cabeza y el cuerpo hacia atrás hasta agarrar con las manos los tobillos, o apretarlas contra el final de la espalda. *Respiración completa.* Vuelque delante cuerpo y cabeza. Repita 1-5 veces.

Arco: arco: 1 De pie, piernas juntas y brazos a los lados. Doble el pie izquierdo hasta las nalgas y enlace las manos sobre los dedos del pie, los pulgares en el arco plantar. *Inspire y espire,* tirando del pie hacia el final de la espalda.

2 Quite los pulgares de la planta, aunque siga agarrando el pie por debajo de los dedos. *Inspire* 1-10, apartando el pie del cuerpo, con los hombros contraídos hacia atrás y el pecho henchido. *Espire* 1-10 y mantenga la postura mientras hace la *respiración completa.*

3 *Inspire* 1-10, inclinándose hacia delante desde las caderas mientras mantiene el cuerpo totalmente curvado y los brazos estirados. *Espire* 1-10 volviendo a la posición erguida. Repita, subiendo el pie izquierdo.

Planee sus series de ejercicios

Yogarritmo

Es más que posible que usted decidiera al principio utilizar este libro porque se ofrecía en él la solución a algún problema de salud. A medida que se va familiarizando con los conceptos básicos del yoga y que van cediendo los problemas para dar paso a una situación general de bienestar, es probable que experimente usted el deseo de crear una tabla de ejercicios más amplia, menos especializada.

Mis series de yogarritmo ofrecen un enfoque interesante y actual. Cada serie ha sido dotada de una coreografía en la que se

engarzan los movimientos clásicos del yoga en un programa de ejercicio rítmico y fluido. A muchos estudiantes, no muy ágiles o carentes de ritmo, les ayuda el practicar con acompañamiento musical. Este ejemplo se puede practicar al son de «Windmills of Your Mind». Para más series de ejercicios, véase página 73.
Nota. Se puede realizar esta serie tanto solo como en grupo, formando un círculo. Si lo hace en grupo, cójasé de la mano con los compañeros de al lado para hacer **6, 22** y **32-33**.
Modelo de respiración. Normal (véase pág. 17).

1 Póngase de pie, con las piernas juntas y las palmas posadas en los muslos. *Inspire* 1-3.

2 *Espire* 1-3, deslizando las palmas por las piernas hacia el suelo y alejándose por éste de los pies, manteniendo las piernas lo más rectas posible y la barbilla separada del pecho.

3 *Inspire* 1-3, estirándose al incorporarse y arqueándose hacia atrás, mientras balancea los dos brazos a la vez, lentamente, hacia arriba, atrás, y girando hasta los costados.

4 *Espire* 1-3, haciendo el «molinillo» con el brazo derecho: frente, arriba, atrás, y vuelta al costado. La mirada sigue en todo momento el giro de la mano. Repita con el brazo izquierdo.

5 *Inspire* 1-5, haciendo el movimiento de «molinillo» con los dos brazos, al frente, atrás y vuelta al costado; la mirada al frente y el cuerpo curvándose al hacer el movimiento.

6 *Espire* 1-3, enganchando los pulgares tras la espalda, y doble las rodillas en escuadra respecto al suelo, empujando el torso sobre los muslos y subiendo las manos juntas en línea recta sobre los hombros.

7 *Inspire* 1-3, bajando al suelo las manos, las palmas hacia abajo, tras el cuerpo y mirando hacia él, y bajando luego las caderas, manteniendo las rodillas elevadas y juntas.

8 *Espire* 1-3, deslizando al frente las piernas, manteniendo erguido el cuerpo y desplazando los brazos a ambos lados del cuerpo, las puntas de los dedos tocando el suelo.

9 Siempre mirando al frente, *inspire* 1-3, subiendo el brazo derecho recto junto a la cabeza, y *espire* 1-3, bajando el brazo al suelo, la palma mirando para fuera. Repita con el brazo izquierdo. *Inspire* 1-3 con los brazos a los lados.

Continuación del yogarritmo

Modelo de respiración. Normal (véase pág. 17).
Nota. Durante los estiramientos, la cabeza debe estar mirando para arriba por debajo del brazo levantado en lo que queda de la serie.

10 *Espire* 1-3, estirando cabeza, torso y caderas a la izquierda y posando en el suelo el antebrazo izquierdo, y con la palma girada perpendicularmente a éste, mientras arquea el brazo derecho (con la palma para arriba) por encima de la cabeza hasta posarlo, las dos manos juntas, al lado izquierdo.

11 *Inspire* 1-3, volviendo a sentarse erguido, con los dos brazos estirados a ambos lados, las palmas hacia dentro y las puntas de los dedos tocando el suelo.

12 *Espire* 1-3, repitiendo el estiramiento lateral descrito en **10**, ahora hacia la derecha, con el brazo izquierdo sobre la cabeza.

13 *Inspire* 1-3, volviendo a sentarse erguido, los brazos estirados a ambos lados. *Espire* 1-3, deslizando por la pierna derecha ambas manos (la izquierda encima, las palmas para abajo) e *inspire*, llevando el pie hasta la cara interna del muslo izquierdo. Estire los brazos a los lados.

14 *Espire* 1-3, repitiendo el estiramiento lateral a la izquierda, con el brazo derecho sobre la cabeza. *Inspire* 1-3, volviendo a sentarse erguido, los brazos estirados a los lados.

15 *Espire* 1-3, repitiendo el estiramiento lateral a la derecha, con el brazo izquierdo sobre la cabeza. *Inspire* 1-3, volviendo a sentarse erguido, los brazos estirados a los lados.

16 *Espire* 1-3, deslizando las dos manos hacia abajo por la pierna izquierda, la derecha sobre la izquierda, y lleve el pie izquierdo recto hasta alguna de las posturas del loto (véase pág. 37). *Inspire* 1-3, estirando los brazos a los lados.

17 *Espire* 1-3, repitiendo el estiramiento lateral a la izquierda. *Inspire* 1-3, volviendo a sentarse erguido, los brazos estirados a los lados.

18 *Espire* 1-3, repitiendo el estiramiento lateral a la derecha y, una vez culminado el estiramiento, doblando la rodilla izquierda sobre la derecha.

Continuación del yogarritmo

Modelo de respiración. Normal (véase pág. 17).

19 *Inspire* 1-3, girando hasta ponerse de rodillas, y apoyando la espalda en los talones. Estire los brazos a los lados.

20 *Espire* 1-3, repitiendo el estiramiento lateral a la izquierda. *Inspire* 1-3, volviendo a ponerse erguido, sobre los talones y con los brazos estirados a los lados.

21 *Espire* 1-3, repitiendo el estiramiento lateral a la derecha. *Inspire* 1-3, volviendo a la postura erguida, los brazos estirados a los lados.

22 *Espire* 1-3, doblando hacia el frente el cuerpo, el torso sobre las rodillas, y subiendo los brazos rectos por encima de la espalda mientras la barbilla toca el suelo.

23 *Inspire* 1-3, subiendo las caderas y el torso, aún de rodillas, y balanceando los brazos al frente, arriba y atrás, hasta que el cuerpo se arquee con el giro natural de los brazos.

24 *Espire* 1-3, estirando la cabeza y el torso hacia delante, apoyando sobre la coronilla, y girando los brazos hacia abajo y en círculo por detrás de la espalda hasta enganchar los pulgares.

25 *Inspire* 1-3, incorporándose hasta una postura erguida, sobre las rodillas, los brazos a los lados. Estire lateralmente la pierna derecha, girando el pie hacia el frente, en línea con la rodilla izquierda.

26 *Espire* 1-3, repitiendo el estiramiento lateral a la izquierda, la palma derecha apoyada en el suelo y el brazo derecho totalmente estirado por encima de la cabeza, paralelo al suelo. Mantenga el cuerpo de frente. *Inspire* 1-3, volviendo a la postura erguida, los brazos a los lados.

27 *Espire* 1-3, estirándose a la derecha, deslizando la palma derecha hacia abajo por la pierna derecha, y estirando el brazo izquierdo por encima de la cabeza. Vuelva a la postura erguida, las rodillas juntas. Repita **25-27,** estirando lateralmente la pierna izquierda.

Planee sus series de ejercicios

Continuación del yogarritmo

Modelo de respiración. Normal (véase pág. 17).

28 *Inspire* 1-3, poniéndose de pie y ligeramente la pierna izquierda para quedar con las piernas abiertas 60-120 cm., los pies al frente.

29 *Espire* 1-3, estirándose a la izquierda, bajando la palma izquierda por la pierna izquierda, y alzando el brazo derecho sobre la cabeza, doblándolo después sobre la columna. *Inspire* 1-3, volviendo a la postura erguida, los brazos a los lados.

30 *Espire* 1-3, volviendo a estirarse a la derecha con el brazo izquierdo doblado sobre la columna. *Inspire* 1-3, volviendo a la postura erguida, juntando las piernas y los brazos a los lados.

31 *Espire* 1-3, deslizando hacia atrás el pie izquierdo de puntillas y doblando la rodilla derecha en escuadra. Pose las palmas sobre la rodilla derecha, la mano izquierda encima. *Inspire* 1-3 moviendo los brazos en molinillo hacia delante, arriba, atrás y abajo al costado.

32 *Espire* 1-3, llevando hacia delante la pierna izquierda hasta que quede junto a la derecha, recta. *Inspire* 1-3, arqueando la cabeza y el torso hacia atrás, moviendo los brazos en molinillo, con los pulgares enganchados al frente, arriba y atrás.

33 *Espire* 1-3, inclinando cabeza y torso al frente y abajo hasta tocar las piernas, los brazos balanceándose por detrás de la espalda arriba y abajo, con los pulgares enganchados. *Inspire* 1-3, relajando los brazos, las manos junto a los pies. *Espire* 1-3, incorporándose lentamente, las manos sobre los muslos.

Cuando pueda realizar estas series con confianza y sin apuros, advertirá que el yogarritmo es meditación en movimiento. Y al practicar diariamente una serie de ejercicios de yoga clásico pronto se verá inclinado a reunir sus propias series rítmicas.

Las combinaciones de ejercicios que vienen a continuación se ofrecen tan sólo como bases para la experimentación personal. Puede usted añadir o eliminar ejercicios, según sus necesidades y preferencias particulares. También se pueden disponer en series combinaciones de ejercicios.

`No es necesario ligar las series a un fondo musical, pero el hacerlo puede darle a la práctica una nueva dimensión. Si lo prefiere, cada movimiento y/o respiración puede ir ligado a un ritmo musical.

Todos estos ejercicios deben hacerse alternando los lados. Respire a su propio ritmo natural, según las unidades indicadas en las distintas secciones del libro o al ritmo de una música.

En pie
1. Primera postura de pie pág. 44
1. Estiramiento de hombros pág. 21
2. Loto del árbol pág. 50
2. Giro de pie pág. 20
3. Medio loto de la cigüeña pág. 50
3. Pelele pág. 19

Equilibrio
1. Arco de pie pág. 67
1. Pino triangular pág. 54
2. Cuervo pág. 65
2. Puente pág. 67
3. Pino pág. 49
3. Postura de la tranquilidad pág. 27

Estiramiento de pies a cabeza
1. Círculos oculares pág. 56
4. Círculos de brazos pág. 69 (**1-5**)
2. Rotación de cabeza pág. 21
5. Triángulo pág. 53
3. Rotación de hombros pág. 21
6. Péndulo pág. 55

De rodillas
1. Gato pág. 44
2. Camello pág. 67
3. Estiramiento de cuello y hombros págs. 21-22

Sentado
1. Sentado en cuclillas pág. 30
2. Preparación para el loto pág. 37
3. Loto completo pág. 37

Estiramiento lateral
1. Calentamiento de caderas pág. 57
2. Estiramiento lateral sentado pág. 70 (**10-12**)
3. Giro en cuclillas pág. 30

Boca abajo
1. Cobra pág. 42
2. Cigarra pág. 44
3. Arco pág. 43

Boca arriba
1. Postura de rodillas junto a orejas pág. 26
2. Tortuga pág. 65
3. Abrazo pág. 44

Apoyado en los hombros
1. Puente pág. 67
2. Arado pág. 47
3. Clavo pág. 48

Comida sana

La clave de una dieta sensata para toda la vida radica en elegir los alimentos que mejor se adecúen a las necesidades de *su* organismo. El primer paso es comprender los valores alimenticios básicos y aprender de qué se compone una comida equilibrada. El segundo es tener en cuenta su propio modo de vida, carácter, situación económica. Es evidente que lo más adecuado para Juana, nadadora de competición de dieciséis años, no le va a valer a Jesús, que ronda los sesenta y trabaja en una oficina.

Valores alimenticios básicos

Los dietistas, médicos y científicos nos dicen que los alimentos han de contener algunos componentes saludables si queremos que nuestro organismo funcione correctamente. Cualquier buen libro de nutrición nos explicará en detalle cuáles son las exigencias del organismo. El establecimiento y mantenimiento de una dieta equilibrada equivalen a asegurarse de que sus hábitos alimentarios le proporcionan a diario todas las sustancias nutritivas necesarias. Como simple guía de los fundamentos de la buena comida, le vendrá bien cerciorarse de que todas sus comidas contengan al menos uno de los ejemplos de cada uno de los grupos de componentes saludables que se enumeran a renglón seguido.

Las proteínas son fundamentales para el crecimiento y la regeneración de los tejidos corporales. Su importancia es la misma para los ancianos que para los niños. Son las proteínas las que mejor sacian el apetito.

Se hallan en los productos lácteos, brotes de soja, tubérculos, frutos secos, legumbres, cereales integrales, pan y harina integrales, carnes, pescados y pollo.

Las vitaminas contribuyen a formar y reparar los tejidos corporales. Las principales vitaminas son las siguientes:

Vitamina A combatir las enfermedades	Se halla en los productos lácteos (leche, mantequilla y queso), huevos, margarina vegetal, verduras, zanahorias, berros, apio, endivias, tomates, ciruelas, orejones e higos secos, naranjas y carne, sobre todo la de cordero y el hígado.
Vitamina B sistemas muscular y nervioso sanos/utilización de los hidratos de carbono	Se halla en la harina y el pan integrales, nueces del Brasil, cacahuetes, lentejas, verduras, brotes de soja, levadura, productos lácteos, hígado, yogur y harina de avena.
Vitamina C vitalidad/formación y reparación de los tejidos corporales	Se halla en los cítricos, otras frutas frescas (en especial la grosella negra), tomates, piel de la patata, espinacas, verduras de hoja, berros, pimientos y coliflor.
Vitamina D dientes y huesos sanos	Se halla en huevos, margarina vegetal y mantequilla.

Los hidratos de carbono proporcionan calor y energía para la actividad física y mental al suministrar directamente calorías. También ayudan a los procesos de digestión y asimilación. Se trata de alimentos ricos en azúcar y féculas. Si es usted demasiado indulgente con ellos, le acarrearán problemas de peso. El peligro contrario consiste en comer productos con hidratos de carbono excesivamente refinados, como pan blanco, azúcar blanco, dulces, pasteles, helados, ciertas bebidas y demás. El pan y el azúcar, en su forma natural, son alimentos perfectamente equilibrados. Es al elaborar el pan o el azúcar blancos cuando se pierden la mayoría de las vitaminas y minerales, para ser a veces —irónicamente— reemplazados por «vitaminas añadidas». Apúntese al pan integral (que utiliza todo el grano: la simiente, la fécula y el salvado) y a la miel o al azúcar morena, más naturales. A continuación, los mejores hidratos de carbono.

Se hallan en tubérculos, fruta (tanto fresca como seca), harina y pan integrales, cereales integrales, miel y azúcar morena.

Las grasas alimentan el sistema nervioso, además de servir para la lubricación general de la piel y para formar una capa de protección contra el frío. Al igual que con el resto de los componentes de una dieta equilibrada, debemos ser sensatos respecto a las cantidades que ingerimos. Una cantidad desmesurada de cualquier alimento, por bueno que sea, acarreará un desequilibrio del correcto funcionamiento del cuerpo, y las grasas no son una excepción. La discusión en torno a la bondad del consumo de grasas animales y su posible conexión con las enfermedades cardiacas aún sigue. A continuación hago un listado de las grasas más naturales. Salvo la leche, todas son de origen vegetal. Actualmente se pueden conseguir con facilidad las leches con bajo contenido de grasa.

Se halla en los aceites y margarinas vegetales, leche, nueces y aguacates.

Los minerales realizan una serie de funciones vitales, muchas veces en colaboración con las vitaminas.

Calcio dientes y huesos fuertes/sangre sana	Se halla en la leche, queso, huevos, almendras, nueces del Brasil, verduras, pan y harina integrales, patatas, harina de soja, harina de avena, orejones, cítricos, apio, perejil, higos, ruibarbo y moras.
Fósforo también huesos y dientes vigorosos/sangre sana	Se halla en almendras y otros frutos secos, cereales, uvas, cítricos, moras, arándanos, pepinos, pan y harina integrales, germen de trigo, brotes de soja, tomates y sandías.

Hierro vitalidad/sangre sana	Se halla en huevos, queso, legumbres, soja, lentejas, harina y pan integrales, germen de trigo, harina de avena, levadura, melaza, cacao, nueces, frutos secos, tomates, plátanos, verduras, habichuelas y guisantes secos.
Cobre para la absorción del hierro	Se halla en la fruta fresca o seca y en las verduras.
Yodo tiroides sana	Se halla en el pescado, verdura, zanahorias, pepinos, ciruelas, tomates, rabanitos, piñas.
Potasio formación de músculos/hígado sano	Se halla en las nueces, verduras y fruta.
Sodio digestión/eliminación del dióxido de carbono	Se halla en el pan y harina integrales, apio, plátanos, verduras, remolacha, pan de centeno.
Cloro purgante/eliminación de desechos/purificación de la sangre	Se halla en frutas y verduras.
Azufre purifica la sangre/permite una digestión sana/impide la acumulación de toxinas	Se halla en frutas y verduras.

Todas estas listas pueden parecer bastante abrumadoras al principio, pero debe recordar que la mayoría de los alimentos contienen más de un tipo de elementos nutritivos. Si consigue

organizar sus comidas a base de mucha fruta y verdura *frescas*, alimentos con alto contenido proteínico (como queso, huevos, un poco de carne, frutos secos y leche), y con pequeñas cantidades de hidratos de carbono y grasas, disfrutará usted de una dieta sensata y equilibrada.

Para tener buena salud no es imprescindible, como mucha gente piensa, hacerse vegetariano y eliminar de la dieta todo producto animal. El vegetarianismo puede no adecuarse al modo de vida, o ni siquiera al metabolismo, de mucha gente. Yo personalmente como de vez en cuando pollo o pescado, pero me he dado cuenta de que el vegetarianismo se adecúa a mi modo de vida. Y no simplemente porque me creará problemas éticos el cebar animales para luego matarlos, sino también porque así me parece aproximarme más a una forma de vida más natural, que el yoga contribuye a enriquecer.

Claro está, soy de la opinión de que la mayoría de los vegetarianos tienden a tener mejor figura, y un aspecto más saludable, quizá porque dedican más tiempo y atención al tipo de alimentos que ingieren. Si se decide usted a probar alguna de las alimentaciones alternativas, como los regímenes vegetariano, vegano (la forma más estricta del vegetarianismo) o macrobiótico, yo le recomendaría encarecidamente que tratase de equilibrar sus comidas, incluyendo en ellas al menos uno de cada uno de los componentes alimenticios esenciales, Así tendrá la seguridad de tomar unas comidas saludables *e* interesantes.

Los yoguis creen que algunos alimentos contienen el *prana*, o fuerza vital. Lo importante para ellos no es la cantidad, sino la calidad del alimento. Su objetivo es comer cantidades escasas de alimentos de alto contenido en fuerza vital. Piensan que uno debe levantarse de la mesa sintiéndose «ligero» y «vivo», no pesado y amodorrado. Se trata de un principio sencillo para plantearse la dieta cotidiana y la planificación de las comidas. Y, si lo aplica, pronto estará usted haciendo toda clase de descubrimientos. Será su propio organismo el que le diga pronto qué cantidades de esa preciosa fuerza vital contienen en realidad las cosas demasiado cocinadas, demasiado elaboradas, demasiado refinadas, las artificiales.

Es de esperar que las recetas de cocina natural que he incluido al final de esta sección (ver págs. 80 a 84) le proporcionen más ideas para la elección de comidas salutíferas y los remedios naturales que les siguen le indicarán qué alimentos contribuyen a curar problemas concretos de salud.

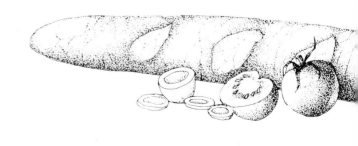

Su alimentación: cómo prepararla y comerla

Una vez que haya usted reflexionado sobre los alimentos que ingiere, lo lógico es que piense cómo prepararlos e incluso *cómo* comerlos. La comida más cuidadosamente equilibrada no sirve para nada si la engulle a toda prisa antes de salir corriendo para coger el autobús o mientras intenta convencer a un lloriqueante angelito de tres años de que los huevos revueltos no son el más mortífero de los venenos conocidos.

Empecemos por los principios básicos de preparación:

1. Cerciórese de que todos los alimentos están frescos. La vitamina C, por ejemplo, caduca muy pronto. Una lechuga de hace una semana no contendrá mucha, y los cítricos hay que exprimirlos justo antes de tomarlos.
2. Lave las frutas y verduras a conciencia. Recuerde que algunos de los productos químicos que se usan actualmente en la agricultura son venenosos. Pero no las pele así como así. Las cáscaras, o fibras, son fundamentales para la eliminación de los residuos del cuerpo, y en ocasiones también guardan la mayor parte del contenido vitamínico.
3. Coma las frutas, verduras y frutos secos crudos, siempre que le sea posible. Al empezar a cocinarlos se empieza a destruir las sustancias nutritivas.
4. Si ha de cocinar las frutas o verduras, hágalo durante el menor tiempo posible. Deben mantener, si se puede, el aspecto crujiente al cocinarlos.
5. La forma de cocinar los alimentos es muy importante. El hacerlo al vapor es una de las mejores. Hay otros métodos que se han practicado durante miles de años y que aún utilizan quienes se preocupan por la salud, como son el horneado en cacharros de barro y la cocción a fuego lento. Se pueden adquirir fácilmente cubitos de caldo de pollo, de carne o de pescado, lo cual no sólo resulta barato, sino que además acaba con la necesidad de usar grasas, agua o condimentos, ya que los alimentos se cocinan en su propio jugo. Si decide cocer los alimentos, hágalo con muy poca agua, y hiérvala antes. Guarde la sobrante para hacer caldos o sopas. Mientras se cocina los cacharros deben estar tapados, salvo si hay que remover.
6. Los condimentos deben añadirse después de cocinados los alimentos, reduciéndolos también al mínimo si no se quiere destruir los elementos salutíferos naturales.

Vayamos ahora al importante asunto del modo de comer. Todo el cuidado puesto en la preparación será inútil si engullimos la comida. Trate de crear un ambiente relajado en torno a las comidas. La fruta es un obsequio de la naturaleza y como tal debe ser tratado con reverencia. Si tiene usted mucha prisa, párese a comer algo de fruta o verdura fresca en vez de hacer una comida completa, que se tarda mucho más en digerir adecuadamente. Y nunca se olvide de masticar la comida a conciencia. Quizá le parezca ridículo el que se mencione este punto, pero piense un poco en su propia forma de comer. Demasiada gente suele limitarse a masticar simplemente la comida y luego a tragarla: debiéramos darles a los jugos gástricos la oportunidad de empezar a descomponer los alimentos incluso antes de que éstos abandonen la boca.

No es en absoluto de extrañar que el estreñimiento consista en un problema tan normal en la actualidad. Sin embargo, acabar con él supone en realidad una simple cuestión de sentido común. Sólo hacen falta una dieta equilibrada según los principios indicados anteriormente, una forma de comer correcta y un programa de ejercicios que resulte razonable. Merece la pena hacer el esfuerzo. Y no es sólo que se sentirá usted más contento y vivaz. Es que estará usted en mejor forma. El cuerpo humano no está concebido para acumular los desechos durante tiempo indefinido. Su rápida eliminación es de vital importancia para el estado general de salud y bienestar.

Dietas purgantes y ayunos

Los seguidores del yoga han usado a lo largo de miles de años las técnicas del ayuno. Hay muchas historias de yoguis que se han pasado días, y hasta semanas, sin comer. Tales proezas no tienen nada que ver con la mayoría de los seguidores occidentales: para la abstinencia a esta escala hace falta un entrenamiento intensivo y especializado. El ayuno *no* es el método yóguico para alcanzar la belleza del cuerpo delgado y flexible. Puede, no obstante, formar parte de su programa de comida sana, ya sea al empezar el empeño o, lo que quizá le sea más útil, incluido de modo regular en él. Sus ventajas como técnica purgante son considerables.

Experimente por su cuenta. Intente, por ejemplo, fijar un día al mes para la dieta purgante. Pero sea sensato. No lo haga un día que vaya a tener un horario de trabajo apretado, el campeonato de tenis del club o una reunión social importante. Al principio no tendrá usted muchas energías, así que es mejor elegir un día en que no ande atosigado. Después de unos meses puede intentar hacer, si no le causa problemas, una de las dietas de frutas de dos días, o el ayuno de dos días. Pero nunca olvide que el objetivo es purgar y purificar el sistema. Unidos a un programa alimenticio sensato y al ejercicio correspondiente, estos breves períodos de ayuno, o de alimentación mínima, pueden resultar enormemente beneficiosos.

Dieta purgante de 1 día

Desayuno
1 tomate
1 pera o melocotón
1 vaso de agua caliente con miel
y limón para dar sabor.

Media mañana

1 vaso de miel y limón caliente,
o un té con limón

Comida
1 zanahoria rallada
1 plátano o pera triturado
75 gr. de repollo, troceado
Los ingredientes anteriores,
mezclados con 1 vaso (150 gr.) de
yogur natural o de zumo de naranja fresco
1 vaso de agua con hielo

Cena
igual que la comida
1 vaso de la bebida de miel y limón caliente

Dieta de frutas variadas (2 días)

Cuota de fruta para 1 día
el zumo de 1 limón
1 pomelo
1 naranja
100 gr. de albaricoques frescos o secos
100 gr. de ciruelas o higos
1 cucharada de miel
Prepare todos los ingredientes
y déjelos toda la noche en un
cuenco.
Desayuno
50 gr. de cereales integrales,
con un poco de leche
1 cucharadita de almendras troceadas
té con limón
Comida
la mitad de la macedonia preparada
50 gr. de queso cheddar
o cualquier queso fresco
té con limón
Cena
el resto de la macedonia
y una cucharadita de nueces
té con limón

Repita este menú el segundo día

Dieta de uvas (2 días)

Desayuno
1/2 pomelo
100 gr. de uvas blancas
Media mañana
50 gr. de uvas blancas
Comida
1/2 pomelo
100 gr. de uvas negras
Merienda
50 gr. de uvas blancas
Cena
1/2 pomelo
100 gr. de uvas blancas y negras

Pele cada uva antes de comerla; así lo hará más despacio y parecerá que la comida es mucho más abundante. El segundo día repita el mismo menú. Beba agua mineral sin gas. Si no puede pasarse sin algo caliente, tome café descafeinado con leche desnatada.

Dieta de ayuno (2 días)

Primer día
1 vaso de agua hervida, tibia, con una cucharadita de sal de la higuera o una pastilla efervescente de vitamina C
300 ml. de agua hervida, tibia
Agua o zumo de manzana muy frío

Bébase el agua con la sal o pastilla de vitamina C al levantarse. Media hora después tómese el resto del agua tibia. Durante el resto del día beba tan sólo vasitos de agua fresca o zumo de manzana muy fríos a intervalos de 2-3 horas.

Segundo día
No beba nada hasta las 6.00 pm, en que puede agasajarse con un vaso de vino blanco o de mosto. Coma 4-6 galletas de salvado o tostadas medianas de pan integral a lo largo del día. Estas contribuyen a absorber los ácidos residuales del cuerpo cuando el consumo de líquidos es escaso.

Al tercer día vuelva a sus hábitos alimentarios regulares, sin olvidarse de comer poco, despacio y a menudo. Comience el día con un vaso de agua fría.

Control del peso

La piedra angular de cualquier programa de control del peso es el realismo. Tanto si pretende usted engordar como adelgazar, lo más importante es que se fije su meta, particular y realista. La única ocasión en que debe usted hacer caso omiso de tal consejo es cuando el médico le ordene que adelgace o que engorde.

Por suerte la mayoría de nosotros carecemos de ese problema. Sencillamente, opinamos que tendríamos mejor salud, más vitalidad —acaso más éxito— si pesáramos un poquito más o un poquito menos. Las más de las veces lo que estamos haciendo es compararnos con otra gente: amigos o los modelos de las revistas. Olvidamos dos cuestiones muy importantes:

1. Cada persona tiene un óptimo de peso diferente.
2. Cualquier plan de control del peso ha de ser para toda la vida.

Junte estas dos cuestiones y se verá usted en la bonita situación de tener que adoptar sus propias decisiones.

Disponga su propio plan de comidas según los principios apuntados antes, en el programa de comida sana, suprimiendo los alimentos con muchos azúcares y féculas (véase pág. 75). Haga los ejercicios que se recomiendan en la sección anterior «El problema del peso» (véase págs. 47-51). Y ya habrá usted sentado unos buenos cimientos para conseguir la línea que le resulte más adecuada.

A continuación hay una lista de otros puntos y recordatorios adicionales que le serán de utilidad.

1. Si tiene alguna duda, consulte a su médico o a un experto en nutrición antes de emprender su plan de alimentación.
2. Coma siempre a horas determinadas, para permitir al cuerpo establecer sus propios ritmos armónicos. Una sobredosis de comida a altas horas de la noche, cuando es menos probable que el cuerpo necesite combustible, puede muy bien acabar convertida en grasa.
3. Trate de hacer tres comidas equilibradas al día, por lo menos. El comer poco y a menudo es mejor que una sola comida fuerte.
4. Antes de cada comida purgue el sistema con un vaso de agua mineral o un poco de fruta o verdura, por ejemplo una pera, un melocotón o unas rodajas de tomate o remolacha. Trate de incluir en su plan de comida al menos una fruta o una verdura purgantes, como puerros, lechuga, guisantes o cítricos.
5. Suprima las tazas de té o café aquí y allá, que no hacen más que engordar.
6. Cuando el cuerpo se lo pida, tómese unas vacaciones sin comidas sólidas. Intente una de las dietas purgantes de fruta o un ayuno ocasional (véase pág. 78).
7. Puede que alcanzar su peso ideal le lleve 6 meses o más, pero tenga paciencia. Es mucho más fácil que tenga éxito un plan realista que una rígida dieta de choque.
8. Combine el plan de control del peso definitivo con el ejercicio diario y regular, a ser posible 3-4 horas después de la comida.
9. No se obsesione con el control del peso. Mantenga la cabeza ocupada en algún *hobby* interesante.

Anorexia nerviosa

El reconocimiento de los primeros síntomas y la inmediata ayuda de un experto son los medios más efectivos para combatir esta inquietante alteración física y mental.

A lo largo de mis años como profesora de yoga ha ido aumentando cada vez más el número de afectados por la anorexia que nos ha pedido ayuda y consejo. Por fortuna, la asistencia regular a clases en busca de relajación, ejercicio y meditación, unida a la supervisión de un buen médico o psiquiatra, ha ayudado a muchos de los afectados.

La anorexia nerviosa es un estado que origina tremendas preocupaciones no sólo en los afectados, sino también en sus familiares y amigos. La víctima típica es una chica joven de familia de clase media-alta; por el momento el porcentaje de varones afectados es muy pequeño. Los primeros síntomas son fáciles de detectar: disminución brusca de la dieta, hasta el punto de perder un tercio del peso corporal, aversión a los hidratos de carbono, obsesión con el peso y las calorías, vómitos provocados, depresión e introversión y disimulos y engaños para ocultar tal estado. A ello se une la incapacidad del anoréxico de darse cuenta de lo que le está haciendo al cuerpo. Cuanto más adelgaza más convencido está de su gordura. Este estado supone la pérdida del período, la aparición de vellos quebradizos y secos, el debilitamiento de las uñas, infecciones en las encías, epilepsia, daños en riñón y estómago y depresión aguda.

Preguntarles a los pacientes el porqué de su anorexia es como preguntarles por qué tienen crisis nerviosas. Una familia que se preocupa ante todo por el éxito, un hogar destrozado, un internado, las dudas y miedos de la adolescencia, son algunos de los factores más comunes. La actitud de el/la paciente respecto a sus padres es ambivalente: mediante la negativa a comer busca al mismo tiempo su rechazo y también su atención. Los alimentos y la comida vienen a simbolizar el amor y el afecto, y terminan siendo la única forma de expresar y comunicar los sentimientos.

Existen muchas teorías sobre la anorexia, y se proponen muchos tratamientos: autoauxilio, disciplina, hipnosis, alimentación a la fuerza, cariño, técnicas de choque, terapia psíquica y familiar. El mejor tratamiento es persuadir a la persona para que desee ponerse bien. El mejor medio suele ser la perseverancia de un buen médico o un buen amigo.

La terapia yóguica para los anoréxicos consiste en eliminar las tensiones ocultas que causaron el problema al principio. Todos los ejercicios, meditaciones y recetas de cocina natural incluidos en este libro ofrecen al anoréxico una forma de volver a empezar. El programa para la depresión y la ansiedad (véase pág. 24) seguramente es el mejor para empezar la recuperación. Pero, como para cualquier otro uso de este libro, resulta beneficioso dedicar antes algún tiempo a la sección de respiración y relajación (véase pág. 15).

Cocina natural

Muesli básico

6-8 personas

Este conocido cereal para el desayuno se puede tomar también con una ensalada de fruta fresca o con helado casero, o como cubierta para postres de fruta.

Ingredientes
450 gr. de cereales variados; por ejemplo,
salvado, copos de
trigo, germen de trigo, copos de avena y maíz
2 cucharadas de leche desnatada en polvo
2 cucharadas de frutos secos variados troceados
2 cucharadas de pasas o pasas de Corinto
2 cucharadas de orejones,
trozos de manzana seca o dátiles
1-2 cucharadas de azúcar morena

1. Mezcle todos los ingredientes y déjelos en un recipiente hermético.
2. Sírvase con leche o agua caliente o fría. El muesli es particularmente delicioso si se sirve con yogur y trozos de fruta fresca.

Sopa de tomates frescos

4 personas

Ingredientes
1 cucharada de aceite vegetal
1 cebolla en trozos muy menudos
1 zanahoria en trozos muy menudos
25 gr. de harina integral
600 ml. de caldo vegetal o de pollo
1 hoja de laurel
675 gr. de tomates frescos, pelados y troceados
1 cucharadita de azúcar morena
1 pellizco de romero
sal y pimienta

1. Caliente el aceite y saltee ligeramente la cebolla y la zanahoria durante 5 minutos.
2. Retire el cacharro del fuego, añada la harina, incorporándola, y vuélvalo a poner al fuego, sin dejar de remover. Caliéntelo un minuto y luego añada el caldo, el laurel, los tomates, el azúcar y el romero, removiéndolo.
3. Hágalo hervir y luego baje el fuego, tápelo y déjelo a fuego lento durante 20-30 minutos.
4. Cuélelo o licúelo, y sazónelo. Sírvase caliente o frío.

Pan negro básico

Como la mayoría del pan fresco, lo mejor es comerlo al día siguiente de hacerlo, para evitar una indigestión. Con un poco de práctica, pronto se verá usted haciendo diestramente su propio pan.

Ingredientes
3 cucharaditas de levadura en polvo
2 cucharaditas de azúcar morena
1 pastilla de vitamina C pulverizada
450 ml. de agua tibia
25 gr. de margarina vegetal, fundida
2 cucharaditas de sal marina fina
675 gr. de harina integral

1. Bata la levadura, 1 cucharadita de azúcar y la vitamina C con 150 ml. de agua tibia. Deje la mezcla en un sitio templado durante 10 minutos hasta que tenga un aspecto espumoso.
2. Incorpore la margarina, el resto del azúcar y la sal al resto del agua tibia. Añada la mezcla de levadura.
3. Incorpórela a la harina y mézclelo todo hasta formar una masa consistente. Amásela sobre una tabla ligeramente enharinada durante 10 minutos.
4. Parta la masa en dos mitades y póngalas en dos moldes de bizcocho de 450 gr., calientes y engrasados. Encierre ambos moldes en una bolsa de plástico engrasada.
5. Déjelo durante 30 minutos en lugar templado hasta que se levante.
6. Cocínelo en el centro de un horno caliente (230º C) durante 30-40 minutos. Déjelo enfriar en una rejilla metálica.

Ensalada oriental

3-4 personas

Ingredientes
1/2 col china
1 pimiento verde, rojo y/o amarillo
Aliño
1 cucharada de tallo de jengibre troceado
1 cucharada de azúcar morena
2 cucharadas de puré de tomate
1 cucharadita de menta troceada
1 cucharada de aceite vegetal
(facultativo)
1 cucharadita de vinagre de sidra
sal y pimienta

1. Trocee la col y los pimientos en trozos pequeños.
2. Mezcle el resto de los ingredientes para hacer el aliño, sazonándolo a su gusto.
3. Eche las verduras y el aliño juntos y sírvase helado.

Ensalada de pepino

4-6 personas

Esta salsa casera de yogur tiene un sabor muy cremoso sin el gusto amargo de muchos de los yogures industriales. Sin la crema de leche, se conservará una semana en la nevera.

Ingredientes
Yogur
600 ml. de leche
1 cucharada de yogur natural
Ensalada
600 ml. de yogur natural casero
150 ml. de crema de leche concentrada
1 pepino mediano
2 dientes de ajo machacados o cortados en trocitos muy menudos
2 cucharadas de menta troceada
y unas pocas hojas de menta como adorno
paprika

Para hacer el yogur
1. Hierva la leche y déjela a fuego lento durante 2-3 minutos.
2. Enfríela hasta los 41-43º C, quítele la nata, y eche el yogur y bátalo suavemente.
3. Eche la leche batida en un cuenco de barro. Tápelo con papel de aluminio y envuelva el cuenco en una toalla pequeña.
4. Déjelo en sitio templado durante 8 horas, y el yogur estará listo para comer.

Para hacer la ensalada
1. Bata suavemente la crema de leche con el yogur casero.
2. Corte el pepino en cubitos, guardando unas pocas rodajas finas como adorno.
3. Añada el pepino, el ajo y la menta al yogur y mézclelo bien. Sazónelo con paprika a su gusto.
4. Enfríelo y sírvalo decorado con las rodajas de pepino y hojas de menta.

Pastel de maíz y yerbas

4-6 personas

El excepcional sabor de las yerbas frescas o secas hace de este pastel un plato ligero y sabroso para la comida.

Ingredientes
Funda de pasta con yerbas
100 gr. de harina integral, tamizada con levadura.
50 gr. de harina de maíz
1/2 cucharadita de sal marina fina
1/2 cucharadita de trocitos de yerbas frescas variadas ó 1/4 de cucharadita de yerbas secas variadas
75 gr. de margarina vegetal
agua y/o 1 yema de huevo para ligarlo
Relleno
1 cebolla mediana, troceada
(facultativo)
1 cucharada de aceite vegetal
225 gr. de maíz dulce
1/2 cucharadita de trocitos de yerbas frescas variadas ó 1/4 de cucharadita de yerbas secas variadas
2 huevos batidos
300 ml. de crema de leche ligera o de yogur natural
sal y pimienta
75 gr. de queso rallado

Para hacer la funda de pasta
1. Ponga la harina, la harina de maíz, la sal marina y las yerbas en un cuenco y restriegue la margarina hasta que la mezcla tome el aspecto de miga de pan fina.
2. Líguelo con la suficiente agua y/o la yema de un huevo hasta que la masa quede consistente.
3. Forme un rollo con la masa y colóquela en un molde de tarta de 20 cm. Hunda los bordes y la base con un tenedor.
4. Métalo en el horno, a una temperatura medianamente caliente (200º C) durante 10 minutos.

Para hacer el relleno
1. Caliente el aceite y fría la cebolla hasta que esté transparente. Desengrásela sobre un papel absorbente.
2. Mezcle la cebolla, el maíz, las yerbas, los huevos y la crema o yogur y sazónelo.
3. Eche la mezcla en la masa que había hecho previamente y cúbrala con el queso rallado.
4. Baje un poco la temperatura del horno (190º C) y déjelo hacerse en el centro del horno durante 20-25 minutos.

Puerros al gruyère

4 personas

Se puede introducir una variante en esta sencilla receta francesa para añadir un sabroso relleno. La masa del budín es ligera y con el aspecto de un petisú y hay que servirlo nada más salir del horno. El resultado siempre arranca cumplidos.

Ingredientes
450 gr. de puerros, bien limpios y partidos en trozos de unos 5 cm.
100 gr. de margarina
200 gr. de harina integral
4 huevos
50 gr. de mantequilla
300 ml. de leche
1/4 de cucharadita de mostaza
50 gr. de queso gruyère rallado
sal y pimienta

1. Se cuecen los puerros en agua hirviendo aproximadamente 5 minutos, o hasta que estén tiernos.
2. Escurra el agua en una jarra graduada y deje 300 ml. Eche el agua en otro cacharro y añada la margarina. Caliéntela a fuego lento hasta que se funda la margarina y luego vuelva a hervirla.
3. Quite el cacharro del fuego y ponga 175 gr. de harina, batiendo. Añada 1/2 cucharadita de sal.
4. Eche los huevos y bátalos, de uno en uno.
5. Extienda 2/3 de la mezcla en el fondo engrasado de un molde de tarta de 20 cm. Ponga el resto con una cuchara o una manga por los bordes del molde para hacer la funda de pasta del budín.
6. Funda la mantequilla a fuego lento y remuévala con el resto de la harina. Caliéntelo un minuto y añada la leche; hiérvalo sin dejar de remover. Vuelva a poner la salsa en el fuego, removiéndola, y añada la mostaza y los puerros ya hechos. Sazone a su gusto.
7. Eche los puerros y la salsa con una cuchara en la funda del budín y espolvoree el queso por encima.
8. Hágalo al horno, a temperatura mediana (200º C), durante 35-40 minutos.

Asado de pescado fácil

4 personas

Este es el pescado al horno más fácil de hacer que conozco, y el resultado es delicioso.

Ingredientes
450 gr. de filetes de bacalao o halibut
150 ml. de leche
25 gr. de margarina vegetal
sal y pimienta
Guarnición
100 gr. de miga fresca de pan integral
100 gr. de queso cheddar, con cebolla y cebolletas, rallado
perejil troceado
taquitos triangulares de limón como adorno

1. Lave los trozos de pescado, quíteles la piel y póngalos en un plato engrasado que se pueda meter en el horno.
2. Métalo a horno mediano (180º C) durante 15 minutos.
3. Mezcle la miga, el queso y la mayoría del perejil y espolvoréelo sobre el pescado asado. Vuelva a meterlo en el horno durante 30 minutos, hasta que la guarnición adquiera un color dorado.
4. Decórelo con el resto del perejil y los tacos de limón, y sírvalo caliente con una ensalada de tomate o de pepino.

Budín de verano

4-6 personas

Este popular budín puede hacerse a lo largo de todo el año, usando una mezcla de frutas del tiempo y de frutas secas puestas la noche antes a remojo y ligeramente escalfadas en zumo de naranja.

Ingredientes
900 gr. de frutas frescas variadas, como grosellas y grosellas negras, fresas, frambuesas, moras, manzanas, cerezas, peras, piña, guayabas, albaricoques o melocotones
75-100 gr. de azúcar morena o miel
más o menos 8 rebanadas (de 1 cm. de espesor) de pan, sin corteza, o de plum cake
hojas de frutales como adorno
(facultativo)

1. Caliente a fuego lento toda la fruta (salvo 100 gr.) con el azúcar o la miel durante 5 minutos o hasta que esté tierna.
2. Alinee las rebanadas de pan, o de plum cake, reservando algunas para ponerlas luego encima, en un molde de budín o molde de soufflé de 900 ml.
3. Escurra la fruta y póngala con una cuchara sobre el molde. Guarde el jugo para arreglos de última hora. Cubra la parte superior del molde con el resto de las rebanadas de pan o de plum cake.
4. Ponga una fuente sobre el molde, empuje con fuerza hacia abajo y déjelo enfriar toda la noche.
5. Saque el budín del molde retirando la fuente y desprendiendo luego los bordes con un cuchillo. Ponga una bandeja sobre el molde y dele la vuelta al molde.
6. Eche con cuidado el jugo obtenido al escurrir sobre las rebanadas justo antes de servirlo.
7. Decórelo con el resto de la fruta y las hojas y sírvalo.

Delicias de limón calientes

4-6 personas

Ingredientes
El zumo y la cáscara rallada de 1 limón
50 gr. de mantequilla
100 gr. de azúcar morena o miel
2 huevos
50 gr. de harina integral, tamizada con levadura
300 ml. de leche

1. Bata la cáscara de limón, la mantequilla y el azúcar hasta que adquieran un aspecto suave.
2. Separe las yemas de los huevos. Bata las yemas y añádalas con algo de harina a la mezcla de mantequilla y azúcar, y remuévalo todo bien.
3. Vaya incorporando gradualmente la leche, el zumo de limón y el resto de la harina, un poco de cada ingrediente cada vez.
4. Monte las claras de los huevos a punto de nieve y échelas por toda la mezcla.
5. Echelo en un cuenco engrasado de 900 ml. que se pueda meter en el horno y hágalo a horno mediano (180º C) durante 40-50 minutos.

Tortitas de fruta

A los niños les encanta hacer estos dulces. Repletos de virtudes naturales y con el sabor de los frutos secos, tienen una textura esponjosa exquisita. Se puede cambiar la receta, haciendo experimentos con combinaciones propias de los ingredientes secos.

Ingredientes
100 gr. de margarina vegetal
1 cucharada de azúcar morena
3 cucharadas de mermelada de naranja
75 gr. de copos de avena
75 gr. de almendras machacadas
75 gr. de coco seco
50-75 gr. de jengibre o cualquier otro fruto seco

1. Funda juntos la margarina, el azúcar y la mermelada.
2. Quite el cacharro del fuego y añada el resto de los ingredientes, mezclándolos a conciencia.
3. Extiéndalo en el fondo de un molde de repostería de 20 cm.
4. Hágalo a horno mediano (190º C) durante 15-20 minutos.
5. Déjelo enfriarse un poco, córtelo en rebanadas y sáquelo del molde cuando esté frío.

Remedios naturales

Si incluye usted los alimentos que se le sugieren como remedio para su dolencia en una dieta equilibrada se sentirá aliviado, e incluso curado, de su problema.

Nota. Los aceites naturales se usan para los masajes.

Exceso de trabajo. Albaricoques, grosellas, plátanos, nueces, limones, naranjas, pimientos, espinacas, brotes de soja, lechuga y miel. Infusión: manzanilla.

Dolor de cabeza y jaqueca. Zumo de col, zumo de manzana, remolacha, arroz, centeno, patatas, café descafeinado. Infusiones: menta, manzanilla, toronjil. *Evite* los productos refinados (como harina, cereales y azúcar blancos), los estimulantes (como el té, café, alcohol y cacao) y los productos lácteos (como el queso y la leche). Tome comidas sencillas y siga la máxima de que lo fresco es lo mejor. Otro tratamiento conocido es el tomar agua mineral sin gas antes de cada comida.

Depresión y ansiedad. Almendras, aguacates, cacahuetes, aceite de maíz y setas.

Tensión alta. Zanahorias, cítricos y grosellas negras, uvas, perejil, ajo, rabanitos, pepino, tomates. Infusión: jazmín.

Tensión baja. Dátiles, higos, grosellas, puerros, cebolla, nueces, brotes de soja.

Debilidad cardiaca. Zumos de frutas y verduras, perejil, ajo. Infusión: espino, romero.

Insomnio. Manzanas, zanahorias, coles, perejil, sandía, lechuga. Infusiones: baños de hierbas de azahar y sándalo.

Esterilidad. Ginseng con vitamina E, harina de huesos, judías, arroz, berros, lechuga, guisantes.

Embarazo. Lo mismo que para **Esterilidad,** amén de todo tipo de frutas y verduras frescas, germen de trigo, levadura, harina de soja, hígado, riñones, pomelo, peras, tomates.

Desarreglos menstruales. Todas las verduras, remolacha, lechuga, hinojo, higos, perejil, uvas. Infusiones.

Sinusitis. Puerros, cebollas, tomates. *Evite* los productos lácteos, en especial la leche.

Catarro. Ajo, lechuga, naranjas, limones, uvas, miel, sopas de verdura ligeras con col y zanahorias, perejil, patatas asadas con piel, ensaladas. Infusiones: haga inhalaciones de un cacharro con agua hirviendo, la cabeza cubierta con una toalla. *Evite* los productos lácteos, sobre todo la leche.

Resfriados y gripe. Zumos y sopas de verduras, ajo, cebollas, naranjas, limones, pomelos, grosellas negras. Infusiones: manzanilla, hierbabuena, toronjil, salvia. Aceites de eucalipto, romero y alcanfor.

Irritación de garganta. Pruebe con un vaso de agua templada con miel y limón, o haga gárgaras con agua con sal o agua de mar hervida.

Sabañones. Hierva 250 gr. de tallos de apio en 1 litro de agua. Déjelo enfriar y meta los pies y las manos en la infusión durante 5 minutos.

Asma y bronquitis. Mezcle un tercio de aceite de ricino con dos tercios de miel y tómese una cucharadita de la mezcla por la mañana y otra por la noche. Manzanas, albaricoques, col,

cerezas, higos, melocotones, limones, mandarinas, nectarinas, naranjas, miel. Infusión: hierbabuena.

Dolor de espalda. Baños tibios de mostaza, mucha fruta y verdura fresca. *Evite* los estimulantes, como el té, el café o el alcohol.

Estreñimiento. Comience el día con alguno de los siguientes productos: 1/2 pomelo, 125 gr. de ciruelas, melocotones, higos o peras, frescos o secos y puestos en remojo por la noche; 2 tomates y 1 vaso de agua mineral; 1 pera fresca y 75 gr. de salvado empapado en agua caliente; o dos plátanos pasados. En las comidas principales incluya siempre una por lo menos de las frutas y verduras purgantes, por ejemplo, puerros, tomates, remolachas, ruibarbo, uvas, cebollas, zanahorias, berros. También ayuda el tomar arroz hervido en la última comida del día. *Evite* los productos lácteos y los alimentos refinados (vea **Dolor de cabeza y jaqueca**).

Diarrea. Plátanos no pasados, cebada, col rizada, setas, naranjas, chirivías, patatas, arroz, brotes de soja, tapioca, espinacas, zumo de col, ortigas, frambuesas, arándanos.

Acné. Tómese un vaso de agua mineral antes de cada comida. Tomar el sol y el aire fresco, levadura de cerveza, col, tomates, zumo de tomate, peras, pomelo, alfalfa, berros. Infusiones: ortigas, diente de león. Aceites de alcanfor y sándalo. *Evite* los subproductos animales: es preferible la leche de cabra.

Quemaduras de la piel. Piel de la patata, col (cortándole un lado), plátano. Aceites de alcanfor, manzanilla y romero.

Exceso de peso. Igual que para el **Estreñimiento.**

Envejecimiento de los miembros. Albaricoques, dátiles, ginseng, col, ajo, piñas, algas, miel, hígado. Infusión: flor del saúco.

Calvicie. Dese suaves masajes por todo el cuero cabelludo con corteza de almendro antes de irse a la cama. Déjelo unos minutos y dese luego otro masaje con aceite de oliva tibio. Intente dejar el aceite durante la noche y luego quíteselo con un champú suave.

Sordera. Col, manzanas, zanahorias, coliflor, nabos, lechuga, todas las frutas y verduras crujientes, de hecho, ya que ayudan a ejercitar los músculos internos de la oreja.

Vista cansada. Albaricoques, zanahorias, coco, dientes de león, pomelo, cebolla, ciruelas, berros, pescado, hígado, ginseng con vitamina E.

Entrar en calor. Cebada, lentejas, avena, arroz, harina integral y derivados, patatas, cítricos, extracto de verduras, miel, leche, yogur, caldos de verduras y aceites vegetales.

Esclerosis múltiple. Todas las frutas y verduras frescas, sobre todo uvas, albaricoques, peras, tomates, mangos y piñas.

Artritis. Espárragos, alcachofas, judías, ajo, zanahorias, pepino, pomelo, melón, perejil, piña, granadas, espinacas. Infusiones: aceite de romero.

Reuma. Zumos de frutas y verduras, vitamina B^{12} adicional, zanahorias, apio, tomates, uvas, aceites vegetales, nueces, perejil, col, coco. *Evite* la carne, huevos, té, café y frutas ácidas, como la pera y la naranja.

Meditación

El yoga no consiste tan sólo en ejercicios, en el tratamiento físico de las dolencias físicas. Consiste en la consecución de una paz profunda, de una calma interna que fluye de la armonía que se alcanza entre la mente y el cuerpo, entre su persona y el mundo que le rodea. El ideal es un estado centrado, de equilibrio armónico, de felicidad, de calma y de libre creatividad.

Es imprescindible, si se ha planteado usted el estudio del yoga, explorarlo como si fuera un camino hacia la meditación. No se deje amilanar por la idea de la meditación; no es un tipo, difícil y ajeno, de gimnasia mental, sino una forma práctica de calmar el espíritu, de hallar la paz y la belleza que guarda usted en sí. Aprender a meditar con el yoga puede significarle el hallazgo de una paz, de un relax, más plenos que los que durante años ha experimentado.

La meditación es la ciencia del control y el detenimiento de la mente. Si la mayoría de la gente comprendiera el valor de la meditación y experimentara sus benéficos efectos desearía practicarla. ¿Qué logro puede ser más adecuado y útil que la doma de las cualidades de la paz, el amor, la felicidad, el poder y la sabiduría?

Concentrarse para aprender

La gente que se ve completamente absorbida por su trabajo, o por un *hobby*, está practicando una forma de meditación, una concentración sin tensiones. Durante una fracción de segundo el tiempo deja de existir y todas las cosas se convierten en una sola: sólo algún tiempo después se da uno cuenta de lo que ha pasado.

La meditación utiliza la forma suprema de concentración. Esta consiste en apartar la atención de cualquier distracción y en dedicarla a contemplar un determinado objeto o pensamiento. A muchos de nosotros, que vivimos inmersos en el torrente de la vida cotidiano nos parece demasiado escaso el tiempo que tenemos para concentrarnos en las cosas que nos interesa realmente hacer. No obstante, si tenemos quien nos guíe, todos podemos disfrutar los frutos de la meditación y alcanzar un estado de conciencia más profunda que mejorará no sólo nuestra capacidad de concentración superficial, sino también nuestra comprensión del verdadero significado de la vida.

Para conseguir la concentración pura nos son necesarios períodos de riguroso silencio. Una de las mejores formas de empezar es imponerse a uno mismo breves períodos de silencio, por ejemplo durante las comidas. Con ello uno consigue no sólo calmarse, sino que además obtiene una mayor conciencia de la forma en que respira, o en que se mueve. De hecho todos los sentidos se aguzan mediante la concentración en silencio.

Para profundizar más en lo aprendido debe usted buscar un sitio especial a donde pueda ir para estar tranquilo. Algún sitio donde pueda usted retirarse sin miedos ni sentimientos de culpa. Vaya allí con la grata seguridad de que en tal lugar puede disfrutar siendo usted mismo. Allí no importa si es usted avaricioso, de mal carácter, envidioso, gordo o flaco. No hay nadie allí a quien impresionar o complacer. No hace falta comunicarse. Goza usted ahora de completa libertad para disfrutar de sus propios pensamientos.

Como siempre, el primer paso es desembarazarse de todas las tensiones de la vida. Recuerde lo que aprendió en la sección de respiración y relajación (véase pág. 15), relájese en la postura de reposo y haga la respiración completa a su ritmo natural. Cierre suavemente los ojos, y deje que las tensiones físicas fluyan hacia el exterior. Perciba cómo el aliento fresco le suaviza la parte posterior de la garganta, el pecho y los pulmones.

> **Inspire paz; espire inquietud.**
> **Inspire verdad; espire las mentiras.**
> **Inspire fuerza; espire debilidad.**
> **Inspire amor; espire amor.**

Ya está usted en condiciones de practicar la relajación profunda que le llevará a las fracciones de segundo de meditación. La diferencia entre la técnica que va a utilizar y la que aprendió en la sección de respiración y relajación radica más en la intensidad que en las características esenciales. También aquí dirige usted su conciencia hacia las diferentes partes del cuerpo, pero ahora divide usted los miembros, etc., en puntos de interés aun más pequeños, de lo cual resulta un importante incremento de los efectos.

Relajación profunda. Permita simplemente que su mente tome conciencia de las distintas partes del cuerpo. Vaya pensando cada vez en una parte, relajando toda tensión física y contemplándola mentalmente como si estuviera totalmente sana y repleta de vitalidad. Trate de no forzar la concentración y realice una breve pausa mientras se detiene con cada parte.

Empiece, por ejemplo, por el lado derecho del cuerpo. Piense en la mano derecha: el dedo gordo, el índice, el medio, el anular, el meñique. Tome conciencia de la palma de la mano, la muñeca, el codo, el hombro, la axila, el lado derecho de la cintura, la cadera derecha, la rodilla, el músculo de la pantorrilla, el tobillo, el talón, la planta del pie derecho, el dedo gordo, el segundo, el tercero, el cuarto, el quinto. Luego pase al lado izquierdo del cuerpo, a la espalda, y al frente, empezando por la parte de arriba de la cabeza y descendiendo desde la frente a las cejas (una cada vez), y así sucesivamente.

Cuando haya completado este desglosamiento total y se haya concentrado en cada parte individual del cuerpo, dé comienzo al proceso de su integración mediante una conciencia aguzada. Piense en el conjunto de la pierna derecha, el conjunto de la pierna izquierda, las dos piernas, el conjunto del brazo izquierdo, el brazo derecho, los dos brazos, la columna, los omoplatos, las nalgas, el conjunto de la espalda, y así sucesivamente.

Aunque se sienta tentado a dormirse, trate de permanecer absolutamente consciente. Todo el cuerpo descansa en plena tranquilidad sobre el suelo. Vea yacer el cuerpo en perfecta paz y tranquilidad sobre el suelo de esta habitación en particular...

Tome conciencia de su respiración. Sienta cómo fluye al entrar y salir de los pulmones. No intente alterar el ritmo. Déjela que adopte su propio modelo natural, sano. Sumérjase completamente en ese modelo. Ahora centre su conciencia en el movimiento del ombligo. Se eleva y cae muy ligeramente con cada respiración. Empiece a contar mentalmente de 15 a 1 a la vez que respira:

15 *inspire* mientras se eleva el ombligo
14 *espire* mientras cae el ombligo
13 *inspire* mientras se eleva el ombligo...

Si se equivoca, retroceda y vuelva a empezar.

Deje de contar y tome conciencia del pecho, que se hincha y se relaja. Al cabo de unas pocas respiraciones, dirija su concentración a la garganta. Sienta el aliento fresco de la inspiración y el cálido de la espiración. Ahora pase a pensar en el aliento que entra y sale por las ventanas nasales...

Fracción de segundo de meditación. Desvincule su mente de su familia; piense en ellos y vaya lentamente, uno a uno, desvinculándose de ellos. Desvincúlese mentalmente de sus amigos: piense en ellos y vaya desvinculándose de ellos lentamente. Desvincúlese de su trabajo y obligaciones. No oiga ningún sonido en especial. No tenga ningún pensamiento en especial. Simplemente descanse y disfrute de ser usted mismo.

Lo mejor para practicar la fórmula de la fracción de segundo es hacerlo al menos una vez al día, preferiblemente hacia la misma hora. Cuando haya perfeccionado la técnica se dará cuenta de que es usted perfectamente capaz de desvincularse de su entorno durante unos brevísimos lapsos de tiempo. Parecerá que la propia vida se detiene y que todas las cosas se aúnan en una paz completa, armónica.

Al igual que otros muchos de los beneficios del yoga, los efectos de este ejercicio no se hacen necesariamente evidentes mientras lo practica. La revitalización del cuerpo y la mente pueden aparecer en forma de energía salutífera tanto en algún momento posterior del día como incluso al día siguiente.

Meditación a vela. Ya está usted en condiciones de empezar con otro ejercicio de concentración. A esta técnica se la ha denominado a veces visualización interna, y requiere que uno se concentre relajadamente en un objeto determinado. Se ha ido asentando la tradición de usar la llama de una vela para este ejercicio, pero de hecho se puede utilizar prácticamente cualquier objeto pequeño. El objetivo de este ejercicio es incrementar la calma y la vigilancia mediante el simple giro interno de la mente hacia las fuentes de energía, preparándola así para el siguiente paso de la meditación.

1. Siéntese cómodamente, con la columna recta, pero no rígida.
2. Ponga una vela encendida a la altura de los ojos y a un brazo de distancia.
3. Relájese unos minutos, haciendo la respiración completa a su ritmo natural y cerrando suavemente los ojos.
4. Abra los ojos y concéntrese en la parte superior de la llama de la vela durante algunas respiraciones completas. Absorba su luz, calor, forma y color.
5. Cierre suavemente los ojos y reconstruya con el ojo de la mente cada una de las características de la llama, manteniendo en su imaginación la imagen. Cada vez que se le despiste la mente, abra los ojos y renueve la impresión de la llama de tal forma que cada vez que vuelva a cerrar los ojos sea más nítida su impronta en la imaginación.
6. Cuando haya conseguido pensar tan sólo en la llama, estará usted en condiciones de avanzar hacia el siguiente paso.

Ahora intente otro ejercicio de concentración. Usando la imaginación, el intelecto, las emociones y los sentidos, trate de visualizar cualquier escena o paisaje natural: montañas cubiertas de nieve, el vuelo de los pájaros a la puesta del sol, el romper de las olas sobre la costa desierta...

Somos lo que pensamos

La visualización interna no es un simple truco para ayudar a la concentración. Al internalizar la llama de la vela, o al imaginar el paisaje natural, lo que está haciendo es educar la imaginación, hacerla trabajar *para* usted en vez de contra usted. Demos ahora un paso adelante en la técnica. Al dirigir la imaginación con pensamientos positivos podemos crear un clima emocional que eleve nuestro estado de salud: física, mental y espiritual. Tomar comida integral crea cuerpos sanos. Del mismo modo, usted es tal y como piensa de corazón.

A lo largo de toda la vida la mente consciente ha ido recogiendo pensamientos e impresiones buenos y malos, que han arraigado en el subconsciente. Cualquier tipo de éxito o fracaso en la vida es, en buena medida, consecuencia de aquellos pensamientos e ideas a los que usted ha dado preeminencia en su mente: Si han sido las impresiones negativas las que se han depositado firmemente, hace falta un esfuerzo de determinación para sustituirlas. Las nuevas impresiones, positivas, deben acumularse en tal cantidad que hagan perder pujanza a las viejas. Créame si le digo que es posible, ya que nunca es demasiado tarde para hacerse con el gobierno del entramado de nuestra vida.

El medroso «No puedo» se impondrá sobre el valiente «Puedo» a no ser que se ponga usted mismo firme. Frente a la adversidad uno puede ganar o rendirse. El triunfo o el fracaso están obviamente determinados por la actitud mental. Aquí no juega la suerte o el azar: es la lógica de la causa y el efecto. Mediante una visualización interna de las cosas mejor que la alcanzada hasta el momento y mediante la conversión de tales pensamientos en realidades por la acción pronto podrá usted no sólo influir en sus circunstancias sino también controlar el *stress* y mejorar su salud.

La vía positiva a la meditación práctica

La forma más sencilla de comenzar la meditación diaria es asignarse un pensamiento para el día, es decir, una máxima sencilla que se mantendrá en la mente mientras se dedica usted a las ocupaciones de la vida. He aquí algunas que me han resultado útiles:

Mi reino está en mi interior.

Creo que soy el arquitecto de mi propio destino. Seré dueño de las circunstancias, no su esclavo.

El mañana me brindará nuevas fuerzas, nuevas esperanzas, oportunidades nuevas y nuevos comienzos.

Superaré todos los obstáculos y haré de ellos oportunidades.

No desperdiciaré mis energías mentales en preocupaciones inútiles.

Un minuto de enfado equivale a 60 segundos de infelicidad y quizás a horas de remordimientos.

Conservaré una salud perfecta.

Me volveré positivo y dinámico.

Seré fiel a mí mismo.

Al principio, a muchos estudiantes les ayuda leer meditaciones escritas. Cuando se dice que el poder para afrontar cualquier reto se halla en nuestro propio interior, a mucha gente, dominada por la ansiedad y la falta de confianza en sí misma, le resulta muy difícil creerlo, y a otros les parece sencillamente pavoroso. Tal es la razón que me ha impulsado a acabar con varios ejemplos de meditación positiva.

Sosiego. Sosiegue el bombeo del corazón y déjelo a sus anchas al tranquilizarse mentalmente. Estabilice su ritmo apresurado con una visión de eternidad. Acabe con la tensión que suponen los nervios y malos humores, con música suave o con el poder del sueño. Enséñese el arte de realizar un minuto de meditación, de sosegarse para disfrutar de la belleza de una flor o un pájaro, para charlar con un amigo, para acariciar a un perro o un gato, o para leer algunas líneas de un buen libro, o un poema. Recuérdese que la vida es algo más que el cronometraje de la velocidad. Al mirar las ramas de un árbol sepa que su verdor y fortaleza son debidos a que creció despacio y bien. Extienda sus propias raíces por el suelo de los valores perdurables de la vida.

Aquiete con paz su mente. Uno necesita tiempo para estar tranquilo, para deshacerse de las preocupaciones. Quizá le parezca cuando lee esto que lo que menos necesita es quietud. Lo que necesita es algo que le impulse a la acción y a la vida. Pero lo que más vigor le dará en cualquier momento —al levantarse, a mitad del día, o antes de irse a la cama— es dedicar algunos minutos tan sólo a quedarse quieto, a decirles al cuerpo, la mente, las emociones, pensamientos y sentimientos:

Quédate quieto: la paz está aquí.

Usted tiene importantes reservas de fortaleza y poder. En la quietud se renueva la energía, se reconstruye el cuerpo, se reforman los pensamientos y se calman las emociones.

En ocasiones la ansiedad es tal que parece difícil quedarse quieto. Deje un momento lo que esté haciendo y pronuncie la sola palabra,

Paz

Respire profundamente y dígase en voz baja o piense:

Estoy quieto y en paz.

Luego, cuando conscientemente deje escapar la respiración, se verá invadido por un sentimiento de paz. Tendrá usted la seguridad de que las cosas que le causaban preocupación están al cuidado y en manos de su fortaleza interna. Sentirá que la paz crece en su interior; se sentirá íntimamente relajado.

En la sencilla quietud la totalidad del ser se vuelve armónica con la fortaleza interior. Son días mejores, las preocupaciones, cuidados, presiones y exigencias se desvanecen a medida que se va usted abandonando a la quietud.

Que haya armonía en mi despertar.
Que haya armonía en mi pensamiento.
Que haya armonía en mis palabras.
Que haya armonía en mi dormir.

Disfrutar el flujo de la vida. Cuando haya aprendido el arte de la relajación profunda podrá apreciar el ritmo natural del cuerpo mientras disfruta de la vida de forma positiva, aunque relajada.

La vida fluye tan serena y constantemente como un gran río. Mientras flotamos sobre él la corriente nos sostiene de forma fuerte y leal. Nos presta su energía y nos lleva consigo. Pero si represamos el agua, si bloqueamos la corriente de energía, se estanca y, más que sentirnos sostenidos por la vida, corremos el riesgo de envenenarnos con las energías mal dirigidas.

Debemos aprender a consentir los cambios, tanto los nuestros como los ajenos. No está bien retener a la gente junto a uno cuando la corriente empieza a llevárselos. Uno de los dos acabará ahogado o herido. Debe usted dejarse llevar y abrirse a nuevas influencias, a energías positivas nuevas. A medida que su vida avance, y vea el cambio y el crecimiento en sí mismo y en la gente a la que conoce y quiere, permítase y permítales la libertad de seguir la corriente natural de la vida.

No es pecado hacer buen uso de las emociones, las personas o los objetos mientras llega el momento del cambio. El aferrarse a la gente o las cosas sólo conduce a estropearlas. El atesoramiento puede ser destructivo. Abra el corazón y la mente a las fuerzas del bien que acabarán por aparecer en su vida, pero esté dispuesto a dejarlas marchar y a aceptar las nuevas fuerzas benéficas que pueden venir a sustituirlas.

Ante el fracaso, no se lamente, ni censure al prójimo el haberle decepcionado. Uno de los secretos de la vida es no esperar nunca nada. Las experiencias, buenas y malas, forman todas parte de la corriente y el flujo de la vida, de la trama cambiante que le demuestra que está usted vivo. Deje correr al río de la vida por el triángulo que forman el cuerpo, la mente y el espíritu.

Hallar la fortaleza interior. No tiene usted que esperar hasta algún momento indefinido del futuro para verificar la existencia de su fortaleza interna. No hace falta esperar hasta que haya superado usted las dificultades o la falta de armonía en que se halla. Su fortaleza interna está con usted ahora, justo donde esté usted. Cada minuto de su existencia usted vive, y se mueve y tiene su ser en esta fortaleza interna, y la plenitud del amor, la fuerza y la paz es con usted.

Cuando llega la tentación de huir de la vida y de las circunstancias dolorosas, simplemente deténgase, quédese quieto y hágase esta pregunta:

¿Por qué tengo miedo, si la fortaleza está dentro de mí, esperando a que confíe en su poder?

Mantenga tranquilamente sus pensamientos en la fortaleza que tiene en sí y se dispersará la bruma de la negación. La paz fluirá a su corazón y le cerciorará de que todo está bien. Realice constantemente la práctica de tener pensamientos saludables y se verá invadido por la alegría de vivir. Y con ella vendrá una vitalidad renovada, una confianza nueva y un nuevo valor. Seguirá el camino con el cuerpo y la mente fortalecidos. Todas las cosas de la vida serán más luminosas a sus ojos. En cualquier momento del día o de la noche, reclame simplemente el poder de la fortaleza que guarda en sí.

Superar los miedos y preocupaciones. Vivimos tiempos de grandes cambios, tanto en la situación mundial como en la vida de la gente. No obstante, no ofrecen motivo de miedo o inseguridad a quien estudie la meditación, cuya fe se centra en el poder interno del espíritu. Cualesquiera que sean las situaciones mundial o personal, siempre verá usted que en la senda de la meditación la vida es armónica.

Hasta en los períodos de mayor inquietud, siempre estará usted en contacto con la fuente de bondad de su fuero interno. Busque consejo y claridad en su espíritu interno, simplemente sentándose en paz y quietud un breve rato todos los días. Simplemente trate de estar en paz y quietud y sepa que su espíritu está en su interior, y que sus maravillosos poderes están a su disposición. Usted sabe que la fortaleza interior es mayor que todos los problemas y que tiene el poder de rechazar, como negación de la verdad, cualquier pensamiento negativo, destructivo: sin el apoyo del pensamiento cualquier apariencia de esta índole sencillamente desaparece. Da igual cuán real o dolorosa parezca la situación a la que se enfrenta; recuerde que como está, en paz y quietud, su poder interno es aún mayor.

Empezará, de forma gradual, a considerar superficiales e innecesarios muchos de sus problemas. Se irá convenciendo de que sus propios pensamientos los habían agigantado. Ahora, en este estado de ánimo más claro, puede usted descansar durante breves intervalos de las presiones de la vida, sabiendo que cuando retorne al mundo exterior su santuario interno le proporcionará la fuerza que necesita para poder enfrentarse a los retos de la vida y, en muchos casos, resolverlos. Dentro de todos nosotros está el poder para afrontar cualquier reto con corazón confiado y animoso, el poder para hallar y salvar cualquier obstáculo, el poder para vivir triunfantes y con éxito.

Se verá usted conducido día a día a la seguridad, y atravesará pacíficamente cualquier situación complicada que le surja en la vida. Aprenderá, con la práctica, que no hay razón para temer los cambios. Dejarán de causarle ansiedad sus asuntos, ya que tendrá la seguridad de que todos los problemas pasan y de que está usted esforzándose para conseguir la paz interior. No existe problema alguno que pueda derrotar al poder supremo de su propio espíritu. Piense para sí:

El amor se halla en mi interior, a mi alrededor, protegiéndome. Desterraré las tinieblas del miedo, que embozan la luz que me guía y me hacen caer en el error.

El amor es la gran fuerza que traba y une en armonía el universo y todo lo que en él hay. A menudo resulta difícil expresar amor en una situación en la que se ha herido su orgullo, se ha amenazado su seguridad o se ha traicionado su confianza. En cuanto pueda, quédese quieto y tranquilícese, afirmando:

Estoy repleto de amor y armonía.

Más tarde se dará cuenta de que es el amor el que crea la armonía. Es el amor el que le proporciona el sentimiento de unidad con su propia vida interior. Es el amor el que proporciona la verdadera conciencia de la paz interior y despeja la mente para que podamos ver muy claro el camino hacia delante.

Indice analítico

Las cifras en **negrita** indican ejercicios ilustrados.